1311
ANGĻU
VĀRDS

MAZIEM un LIELIEM

ZVAIGZNE ABC

811.111 (038)
Or 001

JOSEPH P. ORWELL
1351 PAROLE INGLESI PER PICCOLI E GRANDI

DŽOZEFS ORVELS
1351 ANGĻU VĀRDS MAZIEM UN LIELIEM

No itāliešu valodas tulkojusi **Dace Meiere**

© 2005 Dami International, Milano
© Tulkojums latviešu valodā, Apgāds Zvaigzne ABC
ISBN 88-09-60804-6 (itāliešu izd.)
ISBN 9984-17-732-7 (latviešu izd.)

Iegaumēt ar acīm

Vai jūs zināt, kā dižais Cicerons iegaumēja runas, ko gatavojās teikt Romas senatoriem? Un kāpēc grieķu orators Dēmostens nekad neaizmirsa savas runas galveno domu? Tolaik bērni skolā apguva retoriku. Viņiem mācīja, ka abstraktus jēdzienus var iegaumēt vieglāk, ja tos saista ar konkrētu tēlu. Redzes atmiņa allaž tam noderējusi...
Tā var palīdzēt, mācoties angļu valodu. Aplūkojiet šos zīmējumus! Un jūs atcerēsieties, kā angliski ir vārdi SKAITĪT un ASTE...
Šādi iegaumētais ilgi paliks atmiņā!

A

A / AN
[ə]/[ən]

VIENS/KĀDS
(nenoteiktais artikuls)

ABOVE
[ə'bʌv]

VIRS

ABSENT
['æbsənt]

PROMESOŠS

ACCIDENT
['æksidənt]

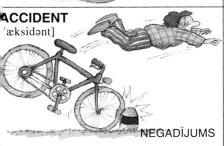

NEGADĪJUMS

ACROSS
[ə'krɒs]

PĀRI

ADD (TO)
[æd]

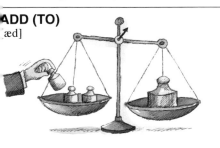

PIEVIENOT

ADDRESS
[ə'dres]

ADRESE

ADULT
['ædʌlt, ə'dʌlt]

PIEAUGUŠAIS

ADVANTAGE
[əd'vɑːntidʒ]

PRIEKŠROCĪBAS

ADVENTURE
[əd'ventʃə]

PIEDZĪVOJUMS

AFRAID (TO BE)
[ə'freid]

BAIDĪTIES

AFTER
['ɑːftə]

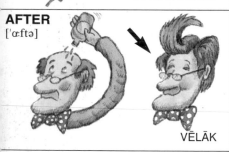

VĒLĀK

AGAINST
[ə'genst]

PRET

AGE
[eidʒ]

VECUMS

AIR
[eə]

GAISS

8

AIRPORT LIDOSTA
['eəpɔːt]

DEPARTURES
[di'pɑːtʃəz]
IZLIDOŠANA

FLIGHT INFORMATION
[flait,infə'meiʃn]
INFORMĀCIJA PAR LIDOJUMIEM

ARRIVALS
[ə'raivəlz] IELIDOŠANA

DEPARTURES

ARRIVALS

FLIGHT INFORMATION

TICKETS

CHECK-IN
['tʃek in]
REĢISTRĀCIJA

TAXI

CARRY-ON LUGGAGE
['kæri, ɒn 'lʌgidʒ]
ROKAS BAGĀŽA

TICKET COUNTER
['tikit 'kaʊntə]
BIĻEŠU KASE

SECURITY CHECK
[si'kjʊərəti tʃek]
DROŠĪBAS KONTROLE

PASSPORT CONTROL

BAGGAGE CLAIM
['bægidʒ kleim]
BAGĀŽAS SAŅEMŠANA

PASSPORT CONTROL
['pɑːspɔːt kən'trəʊl]
PASU KONTROLE

CUSTOMS
['kʌstəmz]
MUITA

GATE
[geit]
IZEJA

GATE

AIRPORT LIDOSTA
['eəpɔːt]

RADAR
['reidɑː]
RADARS

HANGAR
['hæŋə]
ANGĀRS

WIND SOCK
[wind sɒk]
VĒJKONUSS

CONTROL TOWER
[kən'trəʊl 'taʊə]
NOVĒROŠANAS TORNIS

RUDDER
['rʌdə]
STŪRE

FUSELAGE
['fjuːzəlaːʒ]
FIZELĀŽA

AIRPLANE
['eəplein]
LIDMAŠĪNA

TAIL
[teil]
ASTE

WINDOW
['windəʊ]
LOGS

WING
[wiŋ]
SPĀRNS

FLIGHT DECK
[flait dek]
EKIPĀŽAS KABĪNE

NOSE
[nəʊz]
PRIEKŠ-GALS

ENGINE
['endʒin]
MOTORS

LANDING GEAR
['lændiŋ giə]
ŠASIJA

PASSENGER STAIRS
['pæsindʒə steəz]
PASAŽIERU KĀPNES

PILOT
['pailət]
PILOTS

FLIGHT ATTENDANT
[flait ə'tendənt]
STJUARTE

10

ALARM CLOCK
[əˈlɑːm klɒk]

MODINĀTĀJPULKSTENIS

ALIVE
[əˈlaiv]

DZĪVS

ALL
[ɔːl]
VISS

ALONE
[əˈləʊn]

VIENS PATS

ALSO
[ˈɔːlsəʊ]

ARĪ

ALWAYS
[ˈɔːlweiz]

VIENMĒR

AND
[ənd, ænd]

UN

ANGRY
[ˈæŋgri]

DUSMĪGS

ANIMALS
['ænimǝlz]

DZĪVNIEKI

BIRD
[bɜːd]
PUTNS

CAT
[kæt]
KAĶIS

BEAR
[beǝ]
LĀCIS

HEN
[hen]
VISTA

POULTRY
['pǝʊltri]
MĀJPUTNI

ROOSTER
['ruːstǝ]
GAILIS

COW
[kaʊ]
GOVS

DOG
[dɒg]
SUNS

MONKEY
['mʌŋki]
PĒRTIĶIS

GORILLA
[gǝ'rilǝ]
GORILLA

PIG
[pig]
CŪKA

OWL
[aʊl]
PŪCE

12

TIGER
['taigə]
TĪĢERIS

ELEPHANT
['elifənt]
ZILONIS

ZEBRA
['ziːbrə]
ZEBRA

DONKEY
['dɒŋki]
ĒZELIS

SHEEP
[ʃiːp]
AITA

RABBIT
['ræbit]
TRUSIS

KANGAROO
[ˌkæŋgə'ruː]
ĶENGURS

LION
['laiən]
LAUVA

WHALE
[weil]
VALIS

HORSE
[hɔːs]
ZIRGS

FROG
[frɒg]
VARDE

ANSWER
['ɑːnsə]

ATBILDE

ARMCHAIR ['ɑːmtʃeə]
ATPŪTAS KRĒSLS

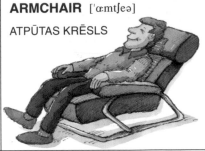

ARROW
['ærəʊ]

BULTA

ASK (TO)
[ɑːsk]

JAUTĀT

ASLEEP
[ə'sliːp]

AIZMIDZIS

ASTRONAUT
['æstrənɔːt]

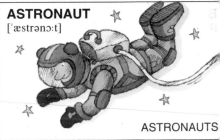

ASTRONAUTS

AT
[æt]

IEKŠĀ

AWAKE
[ə'weik]

NOMODĀ

14

B

BAD
[bæd]

SLIKTS/ĻAUNS

BAG
[bæg]

SOMA

BAKERY
['beikəri]

CEPTUVE

BALL
[bɔːl]

BUMBA

BALLOON [bə'luːn]

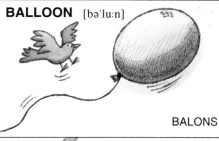

BALONS

BANK
[bæŋk]

BANKA

BARE
[beə]

KAILS

BARN [bɑːn]
ŠĶŪNIS/KŪTS

BASKET ['bɑːskit]
GROZS

BATH [bɑːθ]

VANNA

BE (TO) [biː]

BŪT

BEACH [biːtʃ]

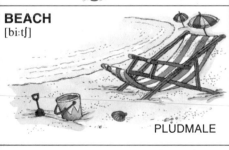

PLUDMALE

BEARD [biəd]

BĀRDA

BEAUTIFUL ['bjuːtifəl]

SKAISTS

BECOME (TO) [bi'kʌm]

KĻŪT

16

BED
[bed]

GULTA

BEE
[bi:]

BITE

BEFORE
[bi'fɔ:]
AGRĀK

BEHIND
[bi'haind]

AIZ

BELL
[bel]

ZVANS

BELOW
[bə'ləʊ]

ZEM

BESIDE
[bi'said]

BLAKUS

BETWEEN [bi'twi:n]

STARP

17

BICYCLE

VELOSIPĒDS
['baisikl]

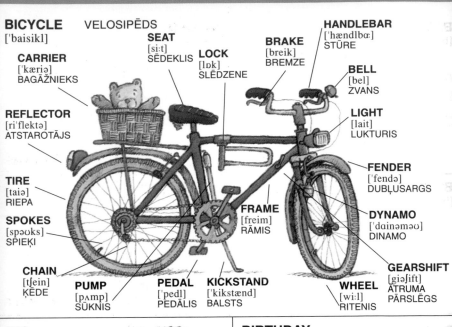

CARRIER
['kæriə]
BAGĀŽNIEKS

SEAT
[si:t]
SĒDEKLIS

LOCK
[lɒk]
SLĒDZENE

BRAKE
[breik]
BREMZE

HANDLEBAR
['hændlbɑː]
STŪRE

BELL
[bel]
ZVANS

REFLECTOR
[ri'flektə]
ATSTAROTĀJS

LIGHT
[lait]
LUKTURIS

TIRE
[taiə]
RIEPA

FENDER
['fendə]
DUBĻUSARGS

SPOKES
[spəʊks]
SPIEĶI

FRAME
[freim]
RĀMIS

DYNAMO
['dainəməʊ]
DINAMO

CHAIN
[tʃein]
ĶĒDE

PUMP
[pʌmp]
SŪKNIS

PEDAL
['pedl]
PEDĀLIS

KICKSTAND
['kikstænd]
BALSTS

GEARSHIFT
[giəʃift]
ĀTRUMA
PĀRSLĒGS

WHEEL
[wi:l]
RITENIS

BIG
[big]

LIELS

BIRTHDAY
['bɜːθdei]

DZIMŠANAS DIENA

BLACKBOARD
['blækbɔːd]

TĀFELE

BLANKET
['blæŋkit]

SEGA

18

BLOCK
[blɒk]

KVARTĀLS

BLOND
[blɒnd]

GAIŠMATAINS

BLOOD
[blʌd]

ASINIS

BLUSH (TO)
[blʌʃ]

NOSARKT

BOAT   LAIVA
[bəʊt]

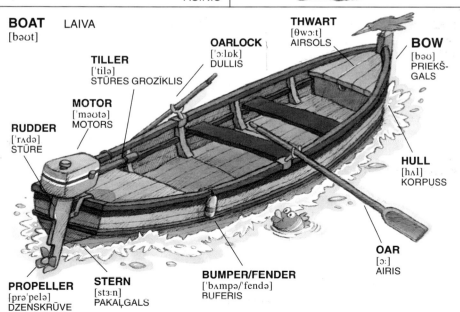

THWART
[θwɔ:t]
AIRSOLS

BOW
[bəʊ]
PRIEKŠ-
GALS

OARLOCK
['ɔ:lɒk]
DULLIS

TILLER
['tilə]
STŪRES GROZĪKLIS

MOTOR
['məʊtə]
MOTORS

RUDDER
['rʌdə]
STŪRE

HULL
[hʌl]
KORPUSS

OAR
[ɔ:]
AIRIS

PROPELLER
[prə'pelə]
DZENSKRŪVE

STERN
[stɜ:n]
PAKAĻGALS

BUMPER/FENDER
['bʌmpə/'fendə]
RUFERIS

19

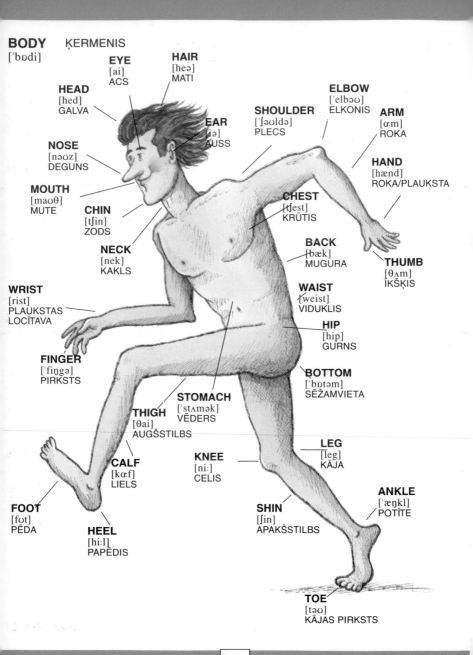

BODY ḲERMENIS
['bɒdi]

EYE
[ai]
ACS

HAIR
[heə]
MATI

HEAD
[hed]
GALVA

ELBOW
['elbəʊ]
ELKONIS

ARM
[ɑːm]
ROKA

SHOULDER
['ʃəʊldə]
PLECS

EAR
[ɪə]
AUSS

HAND
[hænd]
ROKA/PLAUKSTA

NOSE
[nəʊz]
DEGUNS

MOUTH
[maʊθ]
MUTE

CHEST
[tʃest]
KRŪTIS

CHIN
[tʃin]
ZODS

BACK
[bæk]
MUGURA

NECK
[nek]
KAKLS

THUMB
[θʌm]
ĪKŠḲIS

WRIST
[rist]
PLAUKSTAS
LOCĪTAVA

WAIST
[weist]
VIDUKLIS

HIP
[hip]
GURNS

FINGER
['fiŋgə]
PIRKSTS

BOTTOM
['bɒtəm]
SĒŽAMVIETA

STOMACH
['stʌmək]
VĒDERS

THIGH
[θai]
AUGŠSTILBS

LEG
[leg]
KĀJA

CALF
[kɑːf]
LIELS

KNEE
[niː]
CELIS

ANKLE
['æŋkl]
POTĪTE

FOOT
[fʊt]
PĒDA

SHIN
[ʃin]
APAKŠSTILBS

HEEL
[hiːl]
PAPĒDIS

TOE
[təʊ]
KĀJAS PIRKSTS

BONE
[bəʊn]

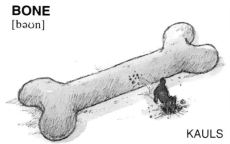

KAULS

BOOK
[bʊk]

GRĀMATA

BOSS
[bɒs]

PRIEKŠNIEKS

BOTTLE
[ˈbɒtl]

PUDELE

BOTTOM
[ˈbɒtəm]

APAKŠA

BOX
[bɒks]

KASTE

BOY
[bɔi]

ZĒNS

BRAIN
[brein]

SMADZENES

21

BREAKFAST BROKASTIS
['brekfəst]

SUGAR ['ʃʊgə] CUKURS

JAM [dʒæm] IEVĀRĪJUMS

CEREAL ['siəriəl] PĀRSLAS

TEA [tiː] TĒJA

YOGURT ['jovgərt] JOGURTS

BUTTER ['bʌtə] SVIESTS

COFFEE ['kɒfi] KAFIJA

FRUIT JUICE [fruːt dʒuːs] AUGĻU SULA

BACON ['beikən] BEKONS

MILK [milk] PIENS

BISCUIT ['biskit] CEPUMI

EGG [eg] OLA

TOAST [təʊst] GRAUZDIŅŠ

SAUSAGE ['sɒsidʒ] DESIŅA

CROISSANT [krɒˈsaːnt] SMALKMAIZĪTE

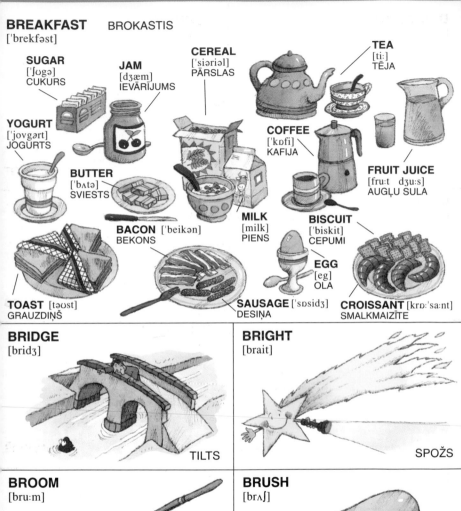

BRIDGE
[bridʒ]

TILTS

BRIGHT
[brait]

SPOŽS

BROOM
[bruːm]

SLOTA

BRUSH
[brʌʃ]

SUKA

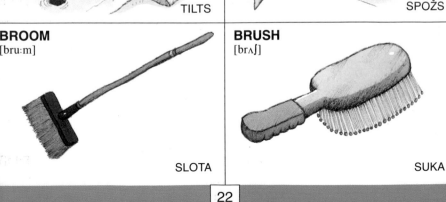

BUILD (TO)
[bild]

CELT

BURN (TO)
[bɜːn]

DEGT

BUS
[bʌs]

AUTOBUSS

BUSY
['bizi]

AIZŅEMTS

BUT
[bʌt]

BET

BUTTERFLY
['bʌtəflai]

TAURIŅŠ

BUTTON
['bʌtn]

POGA

BUY (TO)
[bai]

PIRKT

23

C

CALCULATOR
['kælkjʊleitə]

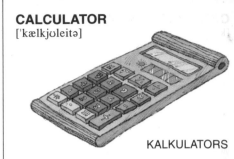

KALKULATORS

CALENDAR
['kæləndə]

KALENDĀRS

CALL (TO)
[kɔːl]

SAUKT

CALM
[kɑːm]

MIERĪGS

CAMERA
['kæmərə]

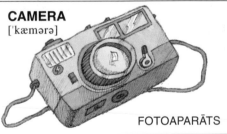

FOTOAPARĀTS

CAN
['kæn]

VARĒT

CANDLE
['kændl]

SVECE

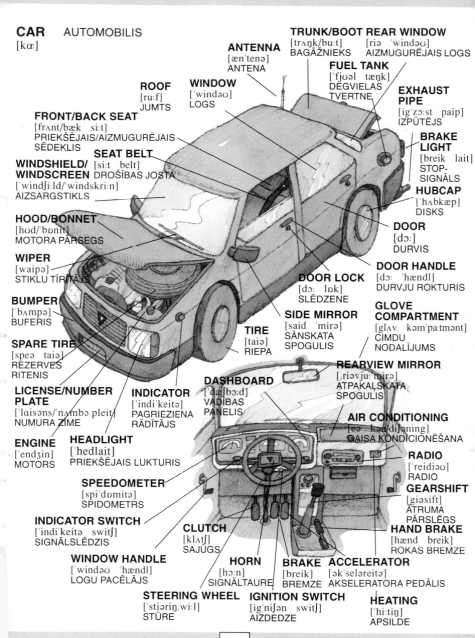

CAR AUTOMOBILIS
[kɑː]

TRUNK/BOOT [trʌŋk/buːt] BAGĀŽNIEKS

REAR WINDOW [riə 'windəʊ] AIZMUGURĒJAIS LOGS

ANTENNA [æn'tenə] ANTENA

FUEL TANK ['fjʊəl tæŋk] DĒGVIELAS TVERTNE

EXHAUST PIPE [igˈzɔːst paip] IZPŪTĒJS

ROOF [ruːf] JUMTS

WINDOW ['windəʊ] LOGS

FRONT/BACK SEAT [frʌnt/bæk siːt] PRIEKŠĒJAIS/AIZMUGURĒJAIS SĒDEKLIS

BRAKE LIGHT [breik lait] STOP-SIGNĀLS

SEAT BELT [siːt belt] DROŠĪBAS JOSTA

WINDSHIELD/ WINDSCREEN ['windʃiːld/'windskriːn] AIZSARGSTIKLS

HUBCAP ['hʌbkæp] DISKS

HOOD/BONNET [hʊd/'bɒnit] MOTORA PĀRSEGS

DOOR [dɔː] DURVIS

WIPER [waipə] STIKLU TĪRĪTĀJS

DOOR HANDLE [dɔː 'hændl] DURVJU ROKTURIS

DOOR LOCK [dɔː lɒk] SLĒDZENE

BUMPER ['bʌmpə] BUFERIS

SIDE MIRROR [said 'mirə] SĀNSKATA SPOGULIS

GLOVE COMPARTMENT [glʌv kəm'paːtmənt] CIMDU NODALĪJUMS

TIRE [taiə] RIEPA

SPARE TIRE [speə taiə] REZERVES RITENIS

REARVIEW MIRROR [ˌriəvjuː'mirə] ATPAKAĻSKATA SPOGULIS

LICENSE/NUMBER PLATE ['laisəns/'nʌmbə pleit] NUMURA ZĪME

INDICATOR ['indiˈkeitə] PAGRIEZIENA RĀDĪTĀJS

DASHBOARD ['dæʃbɔːd] VADĪBAS PANELIS

AIR CONDITIONING [eə kən'diʃəning] GAISA KONDICIONĒŠANA

ENGINE ['endʒin] MOTORS

HEADLIGHT ['hedlait] PRIEKŠĒJAIS LUKTURIS

RADIO ['reidiəʊ] RADIO

SPEEDOMETER [spi'dɒmitə] SPIDOMETRS

GEARSHIFT [giəsift] ĀTRUMA PĀRSLĒGS

INDICATOR SWITCH ['indiˈkeitə switʃ] SIGNĀLSLĒDZIS

CLUTCH [klʌtʃ] SAJŪGS

HAND BRAKE [hænd breik] ROKAS BREMZE

WINDOW HANDLE ['windəʊ 'hændl] LOGU PACĒLĀJS

HORN [hɔːn] SIGNĀLTAURE

BRAKE [breik] BREMZE

ACCELERATOR [ək'seləreitə] AKSELERATORA PEDĀLIS

STEERING WHEEL ['stiəriŋˌwiːl] STŪRE

IGNITION SWITCH [ig'niʃən switʃ] AIZDEDZE

HEATING ['hiːtiŋ] APSILDE

CARDS
[ka:dz]

KĀRTIS

CARE (TO TAKE)
[keə]

RŪPĒTIES

CARRY (TO)
['kæri]

NEST

CARTOON
[ka:'tu:n]

MULTIPLIKĀCIJAS FILMA

CASH
[kæʃ]

SKAIDRA NAUDA

CASTLE
['kɑ:sl]

PILS

CATCH (TO)
[kætʃ]

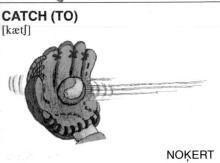

NOĶERT

CATERPILLAR
['kætə,pilə]

KĀPURS

26

CELEBRATE (TO)
['seləbreit]

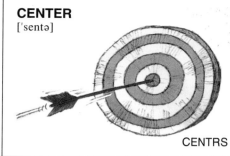

SVINĒT

CENTER
['sentə]

CENTRS

CENTIMETRE
['senti,mi:tə]

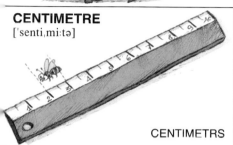

CENTIMETRS

CHANGE
[tʃeindʒ]

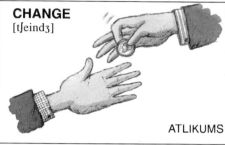

ATLIKUMS

CHANGE (TO) [tʃeindʒ]

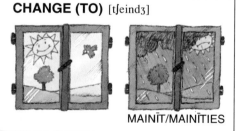

MAINĪT/MAINĪTIES

CHECK
[tʃek]

ČEKS

CHEMIST'S/PHARMACY

['kemists/'fɑːməsi]   APTIEKA

CHESTNUT
['tʃesnʌt]

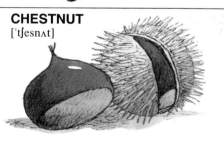

KASTANIS

27

CHILD/CHILDREN [tʃaild/'tʃildrən]
BĒRNS/BĒRNI

CHOCOLATE
['tʃɒkələt]

ŠOKOLĀDE

CHURCH
[tʃɜːtʃ]
BAZNĪCA

CINEMA ['sinəmə]
KINO

CIRCUS
['sɜːkəs]
CIRKS

CITY
['siti]

PILSETA

CLASSROOM
['klɑːsrɒm]

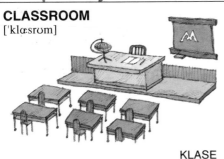

KLASE

CLEAN
[kliːn]

TĪRS

28

CLOTHES
[kləʊðz] APĢĒRBS

CAP
[kæp]
CEPURE

T-SHIRT
['tiːʃɜːt]
T-KREKLS

BARRETTE
[bæˈret]
MATU SPRĀDZE

WINDBREAKER
[ˈwindˌbreikə]
VĒJJAKA

SWEATER
[ˈswetə]
DŽEMPERIS

SKIRT
[skɜːt]
SVĀRKI

BELT
[belt]
SIKSNA/JOSTA

DRESS
[dres]
KLEITA

JEANS
[dʒiːnz]
DŽINSI

SOCK
[sɒk]
ZEĶE

HAT
[hæt]
PLATMALE

TENNIS SHOES
['tenis ʃuːz]
TENISKURPES

EARRING
[ˈiəriŋ]
AUSKARS

SHIRT
[ʃɜːt]
KREKLS

TIE
[tai]
KAKLASAITE

BLOUSE
[blaʊz]
BLŪZE

OVERCOAT
[ˈəʊvəkəʊt]
MĒTELIS

JACKET
[ˈdʒækit]
ŽAKETE

HANDKERCHIEF
[ˈhæŋkətʃif]
KABATAS LAKATIŅŠ

VEST
[vest]
VESTE

SUIT
[suːt]
KOSTĪMS

PURSE
[pɜːs]
ROKAS-
SOMIŅA

COAT
[kəʊt]
MĒTELIS

GLOVE
[glʌv]
CIMDS

BOOT
[buːt]
ZĀBAKS

STOCKINGS
[ˈstɒkiŋz]
ZEĶUBIKSES

SHOE
[ʃuː]
KURPE

PANTS/TROUSERS
[pænts/ˈtraʊzəz]
BIKSES

29

CLOUD
[klaʊd]

MĀKONIS

CLOWN [klaʊn]
KLAUNS

COCK
[kɒk]

GAILIS

COCONUT
[ˈkəʊkənʌt]

KOKOSRIEKSTS

COIN
[kɔin]

MONĒTA

COLD [kəʊld]

AUKSTS

COLD
[kəʊld]

IESNAS

COLLEGE
[ˈkɒlidʒ]

KOLEDŽA

COLOURS KRĀSAS
['kʌləz]

RED
[red]
SARKANS

PINK
[piŋk]
ROZĀ

BLACK
[blæk]
MELNS

GREEN
[griːn]
ZAĻŠ

ORANGE
['ɒrindʒ]
ORANŽS

WHITE
[wait]
BALTS

BLUE
[bluː]
ZILS

BROWN
[braʊn]
BRŪNS

PURPLE
['pɜːpl]
VIOLETS

YELLOW
['jeləʊ]
DZELTENS

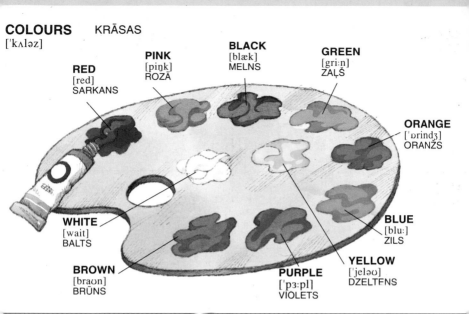

COMB
[kəʊm]

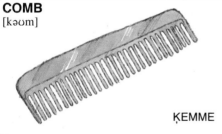

ĶEMME

COME (TO)
[kʌm]

NĀKT

COMPETITION

[ˌkɒmpi'tiʃən]   SACENSĪBAS

COMPUTER
[kəm'pjuːtə]

DATORS

31

CONCERT
['kɒnsət]
KONCERTS

CONGRATULATIONS!
[kən'grætjʊleiʃənz]
APSVEICU!

CONVERSATION
[kɒnvə'seiʃən]

SARUNA

COOK (TO)
[kʊk]

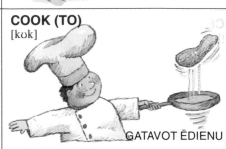

GATAVOT ĒDIENU

COPY (TO) ['kɒpi]

KOPĒT

COSTUME
['kɒstjuːm]

TĒRPS

COUNT (TO)
[kaʊnt]

SKAITĪT

COUNTRY
['kʌntri]

LAUKI

COWBOY
['kaʊˈbɔi]

KOVBOJS

CRACK
[kræk]

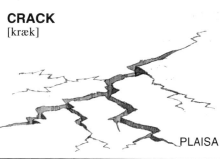

PLAISA

CROSS (TO)
[krɒs]

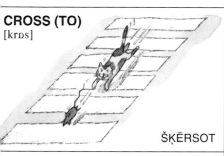

ŠĶĒRSOT

CRY (TO)
[krai]

RAUDĀT

CUP
[kʌp]

TASE

CUPBOARD
['kʌbəd]

BUFETE

CUSTOMER ['kʌstəmə]

PIRCĒJS

CUT (TO)
[kʌt]

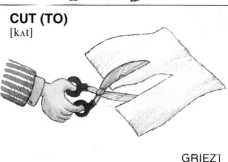

GRIEZT

D

DAILY ['deili]
DIENAS AVĪZE

DAMAGE (TO)
['dæmidʒ]

SABOJĀT

DANCE (TO)
[dɑːns]

DEJOT

DANDELION ['dændilaiən]

PIENENE

DANGER
['deindʒə]
BRIESMAS

DARK
[dɑːk]

TUMŠS

DATE
[deit]

DATUMS

34

DAY DIENA
[dei]

SUNRISE
[ˈsʌnraiz]
SAULLĒKTS

MORNING
[ˈmɔːniŋ]
RĪTS

NOON
[nuːn]
DIENAS VIDUS

AFTERNOON
[ɑːftəˈnuːn]
PĒCPUSDIENA

SUNSET
[ˈsʌnset]
SAULRIETS

EVENING
[ˈiːvniŋ]
VAKARS

NIGHT
[naɪt]
NAKTS

MIDNIGHT
[ˈmidnait]
PUSNAKTS

DEAD [ded]
BEIGTS/MIRIS

DEAR
[diə]

MĪĻŠ

DECIDE (TO)
[di'said]

NOLEMT

DELIVER (TO)
[di'livə]

PIEGĀDĀT

DESERT
['dezət]

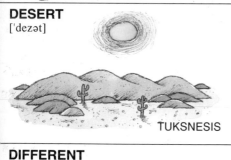

TUKSNESIS

DESK
[desk]

RAKSTĀMGALDS

DIFFERENT
['difərənt]

ATŠĶIRĪGS

DIFFICULT ['difikəlt]   GRŪTI

DINNER
['dinə]
PUSDIENAS

APPETIZER
['æpitəizə]
UZKODAS

SOUP
[su:p]
ZUPA

HAM
[hæm]
ŠĶIŅĶIS

APERITIF
[ə,peri'ti:f]
APERITĪVS

MEAT
[mi:t]
GAĻA

FISH
[fiʃ]
ZIVS

ROAST BEEF
[rəʊst bi:f]
LIELLOPA
GAĻAS
CEPETIS

OLIVES
['ɒlivz]
OLĪVAS

STUFFING
['stʌfiŋ]
PILDĪJUMS

GAME
[geim]
MEDĪJUMA GAĻA

VEAL ROAST [vi:l rəʊst]
TEĻA GAĻAS CEPETIS

POULTRY
['pəʊltri]
MĀJPUTNU GAĻA

STEW
[stju:]
SAUTĒJUMS

TURKEY
['tɜ:ki]
TĪTARS

WINE
[wain]
VĪNS

CHICKEN
['tʃikin]
VISTA

PORK
[pɔ:k]
CŪKGAĻA

BREAD
[bred]
MAIZE

STEAK
[steik]
BIFŠTEKS

SALAD
['sæləd]
SALĀTI

DESSERT
[di'zɜ:t]
SALDAIS
ĒDIENS

WATER
['wɔ:tə]
ŪDENS

LAMB
[læm]
JĒRA GAĻA

ROLLS
[rəʊlz]
MAIZĪTE

ICE CREAM
[ais 'kri:m]
SALDĒJUMS

PIE
[pai]
RAUSIS

CAKE
[keik]
TORTE

CHEESE
[tʃi:z]
SIERS

DINOSAUR [ˈdainəsɔː]

DINOZAURS

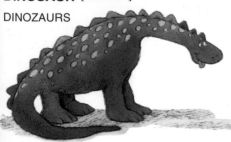

DIRECTION
[diˈrekʃən]

VIRZIENS

DIRTY
[ˈdɜːti]

NETĪRS

DISCUSS (TO)

[diˈskʌs]　　　　APSPRIEST

DIVE (TO)
[daiv]

IENIRT

DO (TO)
[duː]

DARĪT

DOLL
[dɒl]

LELLE

DOLPHIN
[ˈdɒlfin]

DELFĪNS

DOOR
[dɔ:]

DURVIS

DOWN
[daʊn]

LEJUP

DRAWING
['drɔ:iŋ]

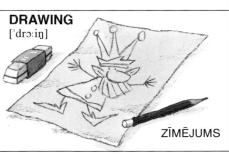

ZĪMĒJUMS

DREAM
[dri:m]

SAPNIS

DRINK (TO)
[driŋk]

DZERT

DRIVE (TO)
[draiv]

BRAUKT

DRY
[drai]

SAUSS

DUCK
[dʌk]

PĪLE

E

EACH
[iːtʃ]

KATRS

EAGLE [ˈiːgl]

ĒRGLIS

EARLY
[ˈɜːli]

AGRI

EARN (TO) [ɜːn]

NOPELNĪT

EARTH
[ɜːθ]

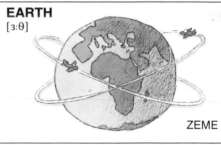

ZEME

EASY
[ˈiːzi]

VIEGLI

EAT (TO)
[iːt]

ĒST

ECHO
['ekəʊ]

ATBALSS

ELECTRICITY
[i,lek'trisəti]

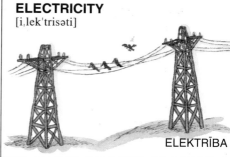

ELEKTRĪBA

ELEGANT
['eligənt]

ELEGANTS

ELEVATOR
['eliveitə]

LIFTS

EMPTY/ FULL

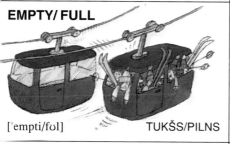

['empti/fʊl]

TUKŠS/PILNS

END
[end]

BEIGAS

ENJOY (TO)
[in'dʒɔi]

IZBAUDĪT

ENTRANCE
['entrəns]

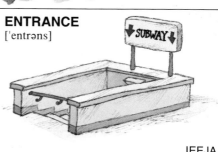

IEEJA

ENVELOPE
['envələʊp]

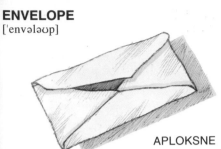

APLOKSNE

EQUAL
['iːkwəl]

VIENĀDS

EXAM
[ig'zæm]

EKSĀMENS

EXERCISE
['eksəsaiz]

VINGRINĀJUMS

EXERCISE BOOK
['eksəsaiz bʊk]

KLADE/BURTNĪCA

EXIT
['egzit]

IZEJA

EXPLAIN (TO)
[ik'splein]

SKAIDROT

EXTRA
['ekstrə]

PAPILDU

42

F

FABLE
['feibl]

PASAKA

FACE
[feis]

SEJA

FACTORY
['fæktəri]

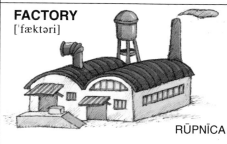

RŪPNĪCA

FAIR
[feə]

GADATIRGUS

FAIRY
['feəri]

FEJA

FALL (TO)
[fɔ:l]

KRIST

FALSE [fɔ:ls]

VILTOTS

43

FAMILY
['fæməli]

ĢIMENE

GRANDMOTHER
['græn,mʌðə]
VECĀMĀTE

GRANDFATHER
['græn,fɑːðə]
VECAISTĒVS

GRANDPARENTS
['græn,peərənts]
VECVECĀKI

GRANDCHILDREN
['græn,tʃildren]
MAZBĒRNI

DAUGHTER
['dɔːtə]
MEITA

SON
[sʌn]
DĒLS

FATHER
['fɑːðə]
TĒVS

MOTHER
['mʌðə]
MĀTE

UNCLE
['ʌŋkl]
TĒVOCIS

AUNT
[ɑːnt]
TANTE

SISTER
['sistə]
MĀSA

WIFE
[waif]
SIEVA

BROTHER
['brʌðə]
BRĀLIS

HUSBAND
['hʌzbənd]
VĪRS

BABY
['beibi]
BĒRNIŅŠ

NEPHEW/NIECE ['nefjuː/niːs]
BRĀĻADĒLS; MĀSASDĒLS/
BRĀĻAMEITA; MĀSASMEITA

PARENTS
[peərənts]
VECĀKI

BROTHER
['brʌðə]
BRĀLIS

COUSINS
['kʌznz]
BRĀLĒNI/MĀSĪCAS

SISTER
['sistə]
MĀSA

CHILDREN
['tʃildrən]
BĒRNI

FAMOUS [ˈfeiməs]

SLAVENS

FAR
[fɑː]

TĀLU

FARM
[fɑːm]

LAUKU SAIMNIECĪBA

FAST
[fɑːst]

ĀTRS

FAT
[fæt]

RESNS

FATHER CHRISTMAS
[ˈfɑːðə ˈkrisməs]

ZIEMASSVĒTKU VECĪTIS

FAVOURITE [ˈfeivərit]   IEMĪĻOTS

FEATHER
[ˈfeðə]

SPALVA

45

FEMALE ['fiːmeil]
SIEVIEŠU DZIMTE

FILM
[film]

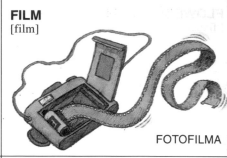

FOTOFILMA

FINISH (TO)
['finiʃ]

PABEIGT

FIRE
['faiə]

UGUNS

FIRE
['faiə]

UGUNSGRĒKS

FISH
[fiʃ]

ZIVS

FIX (TO)
[fiks]

LABOT

FLAG
[flæg]

KAROGS

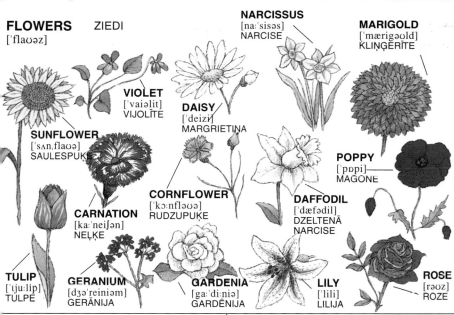

FLOWERS
['flaʊəz]

ZIEDI

NARCISSUS
[naˈsisəs]
NARCISE

MARIGOLD
['mærigəʊld]
KLIŅĢERĪTE

VIOLET
['vaiəlit]
VIJOLĪTE

DAISY
['deizi]
MARGRIETIŅA

SUNFLOWER
['sʌnˌflaʊə]
SAULESPUĶE

POPPY
['pɒpi]
MAGONE

CORNFLOWER
['kɔːnfləʊə]
RUDZUPUĶE

CARNATION
[kaːˈneiʃən]
NEĻĶE

DAFFODIL
['dæfədil]
DZELTENĀ
NARCISE

TULIP
['tjuːlip]
TULPE

GERANIUM
[dʒəˈreiniəm]
GERĀNIJA

GARDENIA
[gaːˈdiːniə]
GARDĒNIJA

LILY
['lili]
LILIJA

ROSE
[rəʊz]
ROZE

FLU
[fluː]

GRIPA

FLY (TO)
[flai]

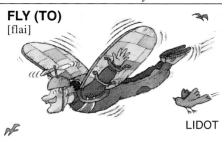

LIDOT

FOG
[fɒg]

MIGLA

FOLLOW (TO)
['fɒləʊ]

SEKOT

FOOD
[fuːd]

PĀRTIKA

FOREST
[ˈfɒrist]

MEŽS

FORGET (TO)
[fəˈget]

AIZMIRST

FORK
[fɔːk]

DAKŠIŅA

FOUR-LEAF CLOVER
[fɔːliːfˈkləʊvə]

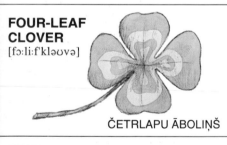

ČETRLAPU ĀBOLIŅŠ

FOX
[fɒks]

LAPSA

FRIEND
[frend]

DRAUGS

FROM
[frɒm]

NO

48

FRUIT AUGĻI
[fru:t]

APPLE
['æpl]
ĀBOLS

ORANGE
['ɒrindʒ]
APELSĪNS

DATE
[deit]
DATELE

BLACKBERRY
['blækbəri]
KAZENE

BANANA
[bə'nɑːnə]
BANĀNS

KIWI
['ki:wi:]
KIVI

LEMON
['lemən]
CITRONS

MELON
['melən]
MELONE

PEACH
[pi:tʃ]
PERSIKS

COCONUT
['kəʊkənʌt]
KOKOSRIEKSTS

CHERRY
['tʃeri]
ĶIRŠI

LIME
[laim]
LAIMS

GRAPES
[greips]
VĪNOGAS

STRAWBERRY
['strɔ:bəri]
ZEMENE

WATERMELON
['wɔ:təmelən]
ARBŪZS

PEAR
[peə]
BUMBIERIS

BLUEBERRIES
[blu:bəriz]
MELLENES

PINEAPPLE
['painæpl]
ANANASS

POMEGRANATE
['pɒmigrænit]
GRANĀTĀBOLS

GRAPEFRUIT
['greipfru:t]
GREIPFRŪTS

PLUM
[plʌm]
PLŪME

APRICOT
['eiprikɒt]
APRIKOZE

RASPBERRY
['rɑːzbəri]
AVENE

G

GAME
[geim]

SPĒLE

GARAGE ['gærɑːdʒ]

GARĀŽA

GARBAGE
['gɑːbidʒ]

ĀTKRITUMI

GARDEN
['gɑːdn]

DĀRZS

GASOLINE ['gæsəliːn]

DEGVIELA

GATE
[geit]

VĀRTI

GENTLY
['dʒentli]

MAIGI

GET (TO) SAŅEMT
[get]

GET OFF (TO)
[get ɒf]
IZKĀPT

GET UP (TO)
[get ʌp]
PIECELTIES

GET IN (TO)
[get in]
IEKĀPT/IEIET

GET ON (TO)
[get ɒn]
IEKĀPT

GET DOWN (TO)
[get daʊn]
NOKĀPT

GET OUT (TO)
[get aʊt]
IZKĀPT/IZIET

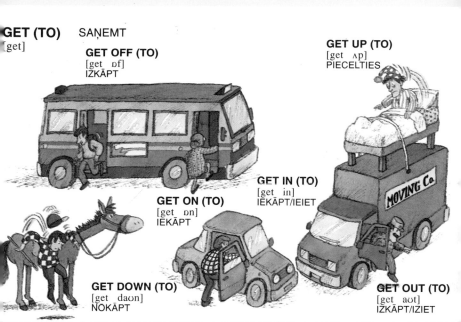

GHOST
[gəʊst]

SPOKS

GIANT MILZIS
[ˈdʒaiənt]

GIFT
[gift]

DĀVANA

GIRL
[gɜːl]

MEITENE

51

GIVE (TO)
[giv]

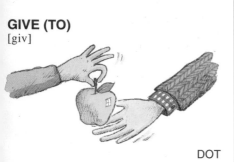

DOT

GLASS
[glɑːs]

GLĀZE

GLASS
[glɑːs]

STIKLS

GLASSES
['glɑːsiz]

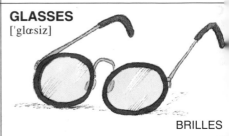

BRILLES

GO (TO)   IET
[gəʊ]

GO IN (TO)
[gəʊ in]
IEIET

GO DOWN (TO)
[gəʊ daʊn]
NOKĀPT

GO UP (TO)
[gəʊ ʌp]
UZKĀPT

GO OUT (TO)
[gəʊ aʊt]
IZIET

52

GOLD
[gəʊld]

ZELTS

GOLF COURSE
[gɒlf kɔ:s]
GOLFA LAUKUMS

GOOD
[gʊd]

LABS

GRAM
[græm]

GRAMS

GRASS
[grɑ:s]

GRASSHOPPER
['grɑ:shɒpə]

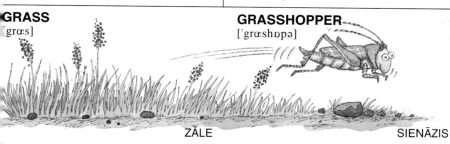

ZĀLE

SIENĀZIS

GRAVITY
['grævəti]

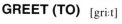

GRAVITĀTE

GREET (TO) [gri:t]

SVEICINĀT

GROCERIES
['grəʊsəriz]

PĀRTIKAS PRECES

GROUND
[graʊnd]

ZEME

GROUP GRUPA
[gru:p]

GROW (TO)
[grəʊ]

AUGT

GUESS (TO)
[ges]

UZMINĒT

GUEST
[gest]

VIESIS

GUITAR
[gi'tɑː]

ĢITĀRA

GYMNASTICS

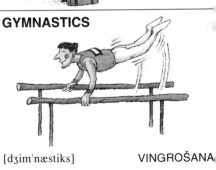

[dʒim'næstiks]   VINGROŠANA

54

H

HAIRBRUSH
['heəbrʌʃ]

MATU SUKA

HALF
[hɑːf]

PUSE

HAMMER
['hæmə]

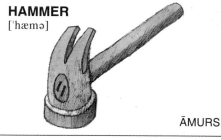

ĀMURS

HANDSOME
['hænsəm]

IZSKATĪGS

HANG (TO)
[hæŋ]

UZKĀRT

HAPPY
['hæpi]

LAIMĪGS

HARD
[hɑːd]

CIETS

55

HAVE (TO)
[hæv]
BŪT

(piederības nozīmē)

HEADACHE
[ˈhedeik]

GALVASSĀPES

HEALTHY
[ˈhelθi]

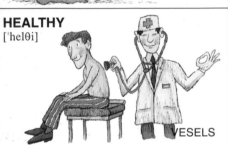

VESELS

HEAR (TO)
[hiə]

DZIRDĒT

HEART
[hɑːt]

SIRDS

HEAT
[hiːt]

KARSTUMS

HEAVEN
[ˈhevn]

DEBESIS

HEAVY
[ˈhevi]

SMAGS

56

HELICOPTER
['helikɒptə]

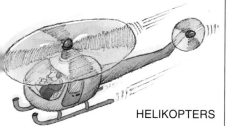

HELIKOPTERS

HELLO/GOODBYE
[he'ləʊ/ˌgʊd'bai]

SVEIKI

HELMET
['helmit]

ĶIVERE

HELP
[help]

PALĪGĀ!

HERE
[hiə]

ŠEIT

HIDE (TO)
[haid]

SLĒPTIES

HIGH
[hai]

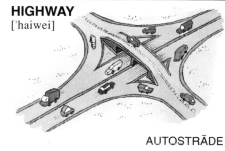

AUGSTS

HIGHWAY
['haiwei]

AUTOSTRĀDE

HITCHHIKE (TO) ['hitʃhaik]
CEĻOT AR
AUTOSTOPU

HOLD (TO)
[həʊld]

TURĒT

HOLE
[həʊl]

ĀLIŅĢIS/CAURUMS

HOLIDAY ['hɒlədi]

BRĪVDIENAS/ATVAĻINĀJUMS

HOME
[həʊm]

MĀJAS/DZĪVESVIETA

HOSPITAL
['hɒspitl]

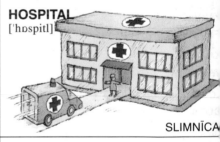

SLIMNĪCA

HOT
[hɒt]

KARSTS

HOTEL [həʊ'tel]

VIESNĪCA

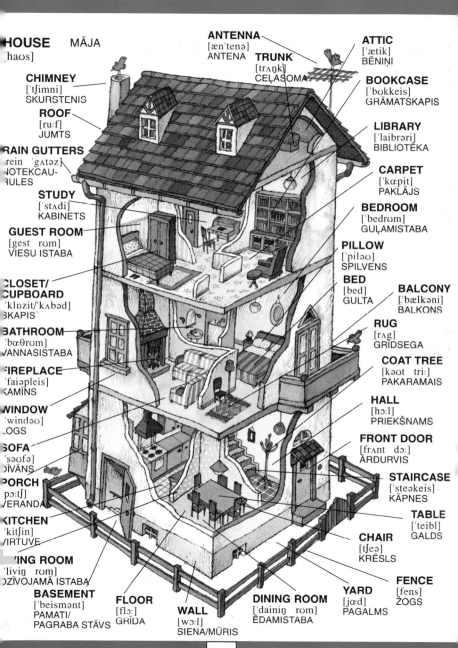

HOUSE MĀJA
[haʊs]

ANTENNA
[ænˈtenə]
ANTENA

TRUNK
[trʌŋk]
CEĻASOMA

ATTIC
[ˈætik]
BĒNIŅI

CHIMNEY
[ˈtʃimni]
SKURSTENIS

BOOKCASE
[ˈbʊkkeis]
GRĀMATSKAPIS

ROOF
[ruːf]
JUMTS

LIBRARY
[ˈlaibrəri]
BIBLIOTĒKA

RAIN GUTTERS
[rein ˈgʌtəz]
NOTEKCAU-
RULES

CARPET
[ˈkɑːpit]
PAKLĀJS

STUDY
[ˈstʌdi]
KABINETS

BEDROOM
[ˈbedrʊm]
GUĻAMISTABA

GUEST ROOM
[gest rʊm]
VIESU ISTABA

PILLOW
[ˈpiləʊ]
SPILVENS

**CLOSET/
CUPBOARD**
[ˈklɒzit/ˈkʌbəd]
SKAPIS

BED
[bed]
GULTA

BALCONY
[ˈbælkəni]
BALKONS

BATHROOM
[ˈbɑːθrʊm]
VANNASISTABA

RUG
[rʌg]
GRĪDSEGA

FIREPLACE
[ˈfaiəpleis]
KAMĪNS

COAT TREE
[kəʊt triː]
PAKARAMAIS

WINDOW
[ˈwindəʊ]
LOGS

HALL
[hɔːl]
PRIEKŠNAMS

SOFA
[ˈsəʊfə]
DĪVĀNS

FRONT DOOR
[frʌnt dɔː]
ĀRDURVIS

PORCH
[pɔːtʃ]
VERANDA

STAIRCASE
[ˈsteəkeis]
KĀPNES

KITCHEN
[ˈkitʃin]
VIRTUVE

TABLE
[ˈteibl]
GALDS

LIVING ROOM
[ˈliviŋ rʊm]
DZĪVOJAMĀ ISTABA

CHAIR
[tʃeə]
KRĒSLS

BASEMENT
[ˈbeismənt]
PAMATI/
PAGRABA STĀVS

FLOOR
[flɔː]
GRĪDA

WALL
[wɔːl]
SIENA/MŪRIS

DINING ROOM
[ˈdainiŋ rʊm]
ĒDAMISTABA

YARD
[jɑːd]
PAGALMS

FENCE
[fens]
ŽOGS

59

HOW? [haʊ]
KĀ?

HOW ARE YOU?
[haʊ 'aː juː]
KĀ TEV IET?

HOW DO YOU DO?
[ˌhaʊdjʊ'duː]
KĀ JUMS KLĀJAS?

HOW MANY?
[haʊ 'meni]
CIK?

HOW MUCH?
[haʊ mʌtʃ]
CIK?

HOWEVER
[haʊ'əvə]

TOMĒR

HUNGRY
['hʌŋgri]

IZSALCIS

HUNTER
['hʌntə]

MEDNIEKS

HURRICANE

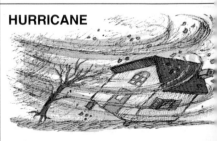

['hʌrikən]

VIESUĻVĒTRA

60

I

ICE
[ais]

LEDUS

ICE CREAM
[ais 'kri:m]

SALDĒJUMS

IDEA
[ai'diə]

DOMA

IF
[if]

JA

ILL [il]
SLIMS

IMPORTANT
[im'pɔ:tənt]

SVARĪGS

IN
[in]

IEKŠĀ

IN FRONT OF
[in frʌnt ɒv]

PRIEKŠĀ

INCH
[intʃ]

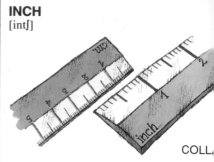

COLL

INDIAN
['indiən]

INDIĀNIS

INFORMATION
[infɔ:meiʃən]

INFORMĀCIJA

INK
[iŋk]

TINTE

INSIDE
[in'said]

IEKŠĀ/IEKŠPUSE

INTRODUCE (TO)
[,intrə'dju:s]

IEPAZĪSTINĀT

ISLAND
['ailənd]

SALA

62

J

JAR [dʒɑːr]
BURKA

JAW
[dʒɔː]

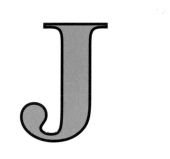

ŽOKLIS

JEWEL
['dʒuːəl]

DĀRGAKMENS

JOB [dʒɒb]

DARBS

JOKE
[dʒəʊk]

JOKS

JUDGE
[dʒʌdʒ]

TIESNESIS

JUMP (TO)
[dʒʌmp]

LĒKT

K

ATSLĒG

KIND
[kaind]

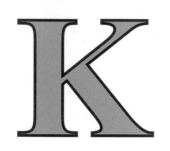

LAIPNS

KING
[kiŋ]
KARALIS

KISS
[kis]

SKŪPSTS

KNIFE
[naif]

NAZIS

KNOCK (TO)
[nɒk]

KLAUVĒT

KNOW (TO)
[nəʊ]

ZINĀT

L

LADDER
['lædə]

KĀPNES

LADYBIRD
[leidibɜːd]

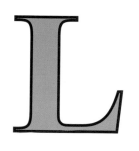

MĀRĪTE

LAKE
[leik]

EZERS

LAMP
[æmp]

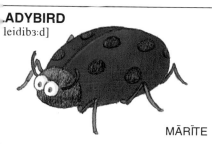

LAMPA

LATE
[leit]

VĒLU

LAUGH (TO)
[ɑːf]

SMIETIES

LAWN
[lɔːn]

ZĀLIENS

LAZY
['leizi]

SLINKS

LEAF
[li:f]

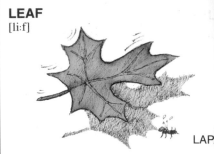

LAP.

LEARN (TO)
[lɜ:n]

MĀCĪTIES

LEAVE (TO)
[li:v]

AIZBRAUK

LEFT
[left]

PA KREISI

LESSON
['lesn]

MĀCĪBU STUND

LETTER
['letə]

VĒSTULE

LIE
[lai]

ME

66

LIFT [lift]

LIFTS

LIGHT [lait]

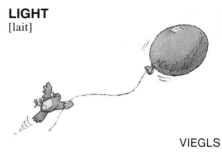

VIEGLS

LIGHT [lait]

GAISMA

LIKE (TO) [laik]

PATIKT

LIPS [lips]

LŪPAS

LISTEN (TO) ['lisn]

KLAUSĪTIES

LITTLE ['litl]

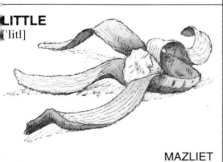

MAZLIET

LIVE (TO) [liv]

DZĪVOT

LONG
[lɒŋ]

GARŠ

LOOK (TO)
[lʊk]

SKATĪTIES

LOVE
[lʌv]

MĪLESTĪBA

LUCKY
[lʌki]

VEIKSMĪGS

LUNCH
[lʌntʃ]

LENČS (OTRĀS BROKASTIS)

SALAD
[ˈsæləd]
SALĀTI

PIZZA
[ˈpɪtsə]
PICA

SOFT DRINK
[sɒft drɪŋk]
DZERIENS

SANDWICH
[ˈsænwidʒ]
SVIESTMAIZE

FRENCH FRIES
[frentʃ frais]
CEPTI KARTUPEĻI

HOT DOG
[hɒt dɒg]
HOTDOGS

COOKIES
[ˈkʊkiz]
CEPUMI

HAMBURGER
[ˈhæmbɜːgə]
HAMBURGERS

PASTA
[ˈpæstə]
MAKARONI

68

M

MAGAZINE
[mægəˈziːn]

ŽURNĀLS

MAGICIAN   [məˈdʒiʃən]
BURVJU MĀKSLINIEKS

MAIL
[meil]

PASTS

MAKE (TO)
[meik]

VEIDOT

MALE
[meil]

VĪRIEŠU DZIMTE

MAN
[mæn]

VĪRIETIS

MANY
[ˈmeni]

DAUDZ

69

MAP
[mæp]

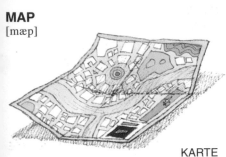

KARTE

MARKET
['mɑːkit]

TIRGUS

MARRIAGE
['mæridʒ]

LAULĪBAS

MATCH
[mætʃ]

SĒRKOCIŅŠ

MATH
[mæθ]

MATEMĀTIKA

MEAL [miːl]

ĒDIENREIZE

MEAT
[miːt]

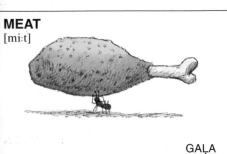

GAĻA

MEDICINE
['medsin]

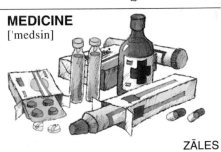

ZĀLES

MEET (TO) SATIKT
[miːt]

MENU
['menjuː]

ĒDIENKARTE

MESS
[mes]

NEKĀRTĪBA

MESSAGE
['mesidʒ]

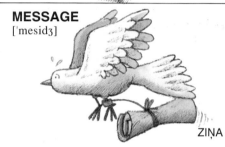

ZIŅA

MINUTE
['minit]

MINŪTE

MIRROR ['mirə]

SPOGULIS

MISTAKE [mi'steik]

KĻŪDA

MONEY
['mʌni]

NAUDA

MONTHS
[mʌnθs]

MĒNEŠI

JANUARY
['dʒænjʊəri]
JANVĀRIS

FEBRUARY
['februəri]
FEBRUĀRIS

MARCH
[mɑːtʃ]
MARTS

APRIL
['eiprəl]
APRĪLIS

MAY
[mei]
MAIJS

JUNE
[dʒuːn]
JŪNIJS

JULY
[dʒʊ'lai]
JŪLIJS

AUGUST
['ɔːgəst]
AUGUSTS

SEPTEMBER
[səp'tembə]
SEPTEMBRIS

OCTOBER
[ɒk'təʊbə]
OKTOBRIS

NOVEMBER
[nə'vembə]
NOVEMBRIS

DECEMBER
[di'sembə]
DECEMBRIS

MOON
[mu:n]

MĒNESS

MOSQUITO
[məˈski:təʊ]

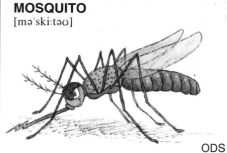

ODS

MOTO-CROSS
[ˈməʊtəʊkrɒs]

MOTORCYCLE
[ˈməʊtəˌsaikl]

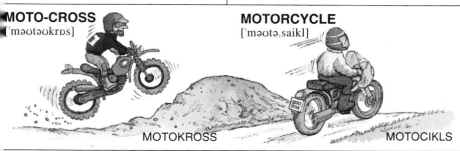

MOTOKROSS

MOTOCIKLS

MOUNTAIN
[ˈmaʊntən]

KALNS

MOUSE
[maʊs]

PELE

MOVE (TO)
[mu:v]

PĀRVIETOT

MUCH
[mʌtʃ]

DAUDZ

MUSCLE
['mʌsl]

MUSKULIS

MUSEUM
[mjuˈziəm]

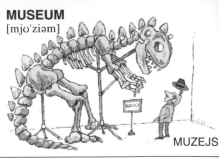

MUZEJS

MUSICAL INSTRUMENTS
['mjuːzikəl 'instrəmənts]

MŪZIKAS INSTRUMENTI

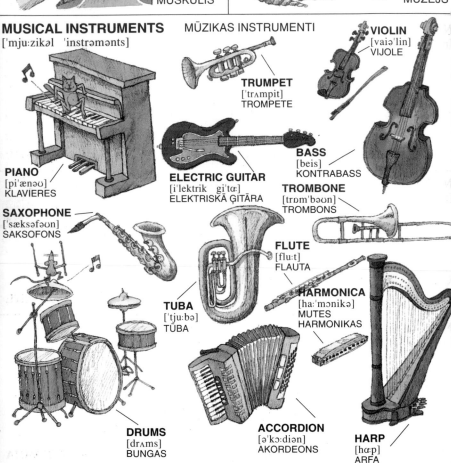

VIOLIN
[vaiəˈlin]
VIJOLE

TRUMPET
['trʌmpit]
TROMPETE

PIANO
[piˈænəʊ]
KLAVIERES

ELECTRIC GUITAR
[iˈlektrik giˈtɑː]
ELEKTRISKĀ ĢITĀRA

BASS
[beis]
KONTRABASS

TROMBONE
[trɒmˈbəʊn]
TROMBONS

SAXOPHONE
['sæksəfəʊn]
SAKSOFONS

FLUTE
[fluːt]
FLAUTA

TUBA
['tjuːbə]
TUBA

HARMONICA
[haːˈmɒnikə]
MUTES
HARMONIKAS

DRUMS
[drʌms]
BUNGAS

ACCORDION
[əˈkɔːdiən]
AKORDEONS

HARP
[hɑːp]
ARFA

74

N

NAIL
[neil]

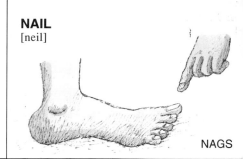

NAGS

NAIL
[neil]

NAGLA

NAME
[neim]

VĀRDS

NAP
[næp]

SNAUDIENS

NAPKIN
['næpkin]

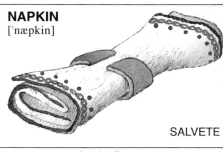

SALVETE

NARROW
['nærəʊ]

ŠAURS

NATION
['neiʃən]

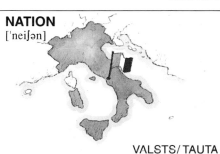

VALSTS/ TAUTA

NATIONS & FLAGS   ['neiʃənz ənd flægs]
VALSTIS UN KAROGI

AUSTRALIA
[ɒsˈtreiliə]
AUSTRĀLIJA

AUSTRIA
[ˈɒstriə]
AUSTRIJA

BELGIUM
[ˈbeldʒem]
BEĻĢIJA

BRAZIL
[brəˈzil]
BRAZĪLIJA

EGYPT
[ˈiːdʒipt]
ĒĢIPTE

FINLAND
[ˈfinlənd]
SOMIJA

FRANCE
[fraːns]
FRANCIJA

IRELAND
[ˈəiələnd]
ĪRIJA

ISRAEL
[ˈizreil]
IZRAĒLA

ITALY
[ˈitəli]
ITĀLIJA

RUSSIA
[ˈrʌʃə]
KRIEVIJA

SOUTH AFRICA
[ˈsəʊθˈæfrɪkə]
DIENVIDĀFRIKA

SPAIN
[spein]
SPĀNIJA

SWEDEN
[ˈswɪːdən]
ZVIEDRIJA

CANADA
['kænədə]
KANĀDA

CHINA
['tʃainə]
ĶĪNA

DENMARK
['denmaːk]
DĀNIJA

GERMANY
['dʒɜːməni]
VĀCIJA

GREECE
[griːs]
GRIEĶIJA

NETHERLANDS
['neðələndz]
NĪDERLANDE

INDIA
['indiə]
INDIJA

JAPAN
[dʒəˈpæn]
JAPĀNA

MEXICO
['meksikəʊ]
MEKSIKA

NORWAY
['nɔːwei]
NORVĒĢIJA

PORTUGAL
['pɔːtʃəgl]
PORTUGĀLE

SWITZERLAND
['switsələnd]
ŠVEICE

UNITED KINGDOM
[juːˌnaitidˈkiŋdəm]
APVIENOTĀ
KARALISTE

U.S.A.
(United States of America)
[juːesˈei] [juːnaitidˈsteits ɒv
əˈmerikə]
ASV (AMERIKAS SAVIENOTĀS
VALSTIS)

77

NEAR
[niə]

TUVU

NEEDLE
['niːdl]

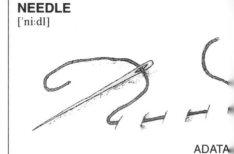

ADATA

NEVER
['nevə]

NEKAD

NEW
[njuː]

JAUNS

NEWSPAPER
['njuːspeipə]

LAIKRAKSTS

NO
[nəʊ]

NĒ

NOBODY
['nəʊbədi]

NEVIENS

NOISE [nɔiz]

TROKSNIS

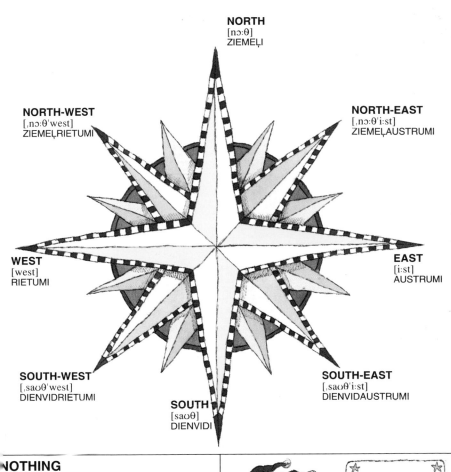

NORTH
[nɔːθ]
ZIEMEĻI

NORTH-WEST
[ˌnɔːθ'west]
ZIEMEĻRIETUMI

NORTH-EAST
[ˌnɔːθ'iːst]
ZIEMEĻAUSTRUMI

WEST
[west]
RIETUMI

EAST
[iːst]
AUSTRUMI

SOUTH-WEST
[ˌsaʊθ'west]
DIENVIDRIETUMI

SOUTH-EAST
[ˌsaʊθ'iːst]
DIENVIDAUSTRUMI

SOUTH
[saʊθ]
DIENVIDI

NOTHING
['nʌθɪŋ]

NEKAS

NOW
[naʊ]

TAGAD

NUMBERS SKAITĻI
['nʌmbəz]

ONE
[wʌn]
VIENS

TWO
[tu:]
DIVI

THREE
[θri:]
TRĪS

FOUR
[fɔ:]
ČETRI

FIVE
[faiv]
PIECI

ZERO
['ziərəʊ]
NULLE

SIX
[siks]
SEŠI

SEVEN
['sevn]
SEPTIŅI

EIGHT
[eit] ASTOŅI

NINE
[nain]
DEVIŅI

ONE THOUSAND
[wʌn'θaʊzənd]
TŪKSTOTIS

TEN
[ten]
DESMIT

ONE HUNDRED
[wʌn 'hʌndrəd]
SIMTS

FIFTH
[fifθ]
PIEKTAIS

FIRST
[fɜ:st]
PIRMAIS

SECOND
['sekənd]
OTRAIS

THIRD
[θɜ:d]
TREŠAIS

FOURTH
[fɔ:θ]
CETURTAIS

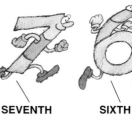

TENTH
[tenθ]
DESMITAIS

NINTH
[nainθ]
DEVĪTAIS

EIGHTH
['eitθs]
ASTOTAIS

SEVENTH
['sevənθ]
SEPTĪTAIS

SIXTH
[siksθ]
SESTAIS

O

OAK
[əʊk]

OZOLS

OCEAN
[ˈəʊʃən]

OKEANS

OF
[ɒv]

NO

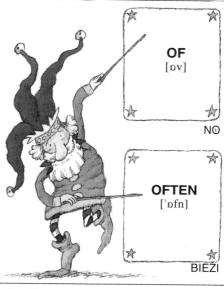

OFFICE
[ˈɒfis]

BIROJS

OFTEN
[ˈɒfn]

BIEŽI

OLD
[əʊld]

VECS

ON/OFF
[on/ɒf]

IESLĒGTS/IZSLĒGTS

81

ONLY
['əʊnli]

TIKAI

OPEN/CLOSED
['əʊpən/kləʊzd]

ATVĒRTS/AIZVĒRTS

OPPOSITE
['ɒpəzit]

PRETĒJS/
PRETSTATS

OR
[ɔ:]

VA

ORDER (TO)
['ɔ:də]

PASŪTĪT

OSTRICH
['ɒstritʃ]

STRAUSS

OUT
[aʊt]

ĀRĀ

OYSTER
['ɔistə]

AUSTERE

P

PAGE
[peidʒ]

LAPPUSE

PAPER
[ˈpeipə]

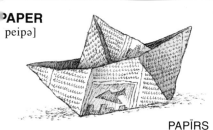

PAPĪRS

PARACHUTE
[ˈpærəʃuːt]

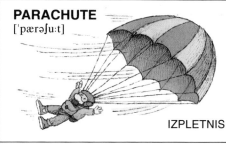

IZPLETNIS

PARK
[pɑːk]

PARKS

PARROT
[ˈpærət]

PAPAGAILIS

PARTY
[ˈpɑːti]

VIESĪBAS

PASSPORT
[ˈpɑːspɔːt]

PASE

PEN
[pen]

PENCIL
['pensl]

PILDSPALVA

ZĪMULIS

PENGUIN
['peŋgwin]

PINGVĪNS

PETROLEUM
[pi'trəʊliəm]

NAFTA

PHOTOGRAPH
['fəʊtəgrɑːf]

FOTOGRĀFIJA

PICTURE
['piktʃə]

GLEZNA

PLATE
[pleit]

ŠĶĪVIS

PLAY (TO)
[plei]

ROTAĻĀTIES

PLAY (TO)
[plei]

SPĒLĒT

PLEASE
[pli:z]

LŪDZU!

POCKET
['pɒkit]

KABATA

POINT TO (TO) [pɔint] NORĀDĪT

POLLUTION
[pə'lu:ʃən]

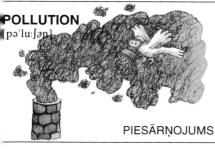

PIESĀRŅOJUMS

PORT
[pɔ:t]

OSTA

PRESENT
['prezənt]

DĀVANA

PROBLEM
['prɒbləm]

PROBLĒMA

PROFESSIONS PROFESIJAS
[prə'feʃnz]

ACTOR
['æktə]
AKTIERIS

ARTIST
['ɑːtist]
MĀKSLINIEKS

SINGER
['siŋə]
DZIEDĀTĀJA

DENTIST
['dentist]
ZOBĀRSTS

DOCTOR
['dɒktə]
ĀRSTS

NURSE
[nɜːs]
MEDMĀSA

COOK
[kʊk]
PAVĀRS

BUTCHER
['bʊtʃə]
MIESNIEKS

FARMER
['fɑːmə]
ZEMNIEKS

MUSICIAN
[ˌmjuːˈziʃən]
MŪZIĶIS

MUSIC CONDUCTOR
['mjuːzik kən'dʌktə]
DIRIĢENTS

BARBER
['bɑːbə]
FRIZIERIS

86

PAINTER
['peintə]
KRĀSOTĀJS

PLUMBER
['plʌmə]
SANTEHNIĶIS

CARPENTER
['kɑːpəntə]
GALDNIEKS

SOLDIER
['səuldʒə]
KARAVĪRS

FIREMAN
['faiəmən]
UGUNS-
DZĒSĒJS

POLICEMAN
[pə'liːsmən]
POLICISTS

TEACHER
['tiːtʃə]
SKOLOTĀJA

WRITER
['raitə]
RAKSTNIEKS

TAILOR
['teilə]
ŠUVĒJS

FISHERMAN
['fiʃəmən]
ZVEJNIEKS

SAILOR ['seilə] JŪRNIEKS

POSTMAN
['pəustmən]
PASTNIEKS

PROFESSOR
[prəˈfesə]

PROFESORS

PROMISE (TO)
[ˈprɒmis]

APSOLĪT

PROUD
[praʊd]

LEPNS

PULL (TO)
[pʊl]

VILKT

PUPIL
[ˈpjuːpəl]

SKOLĒNS

PUSH (TO)
[pʊʃ]

STUMT

PUZZLE
[pʌzl]

PUZLIS

PYRAMID
[ˈpirəmid]

PIRAMĪDA

Q

QUAIL
[kweil]

PAIPALA

QUALITY
['kwɒləti]

KVALITĀTE

QUANTITY
['kwɒntəti]

KVANTITĀTE

QUARREL (TO)
['kwɒrəl]

STRĪDĒTIES

QUARTER ['kwɔ:tə]

CETURT-
DAĻA

QUEEN
[kwi:n]

KARALIENE

QUESTION
['kwestʃən]

JAUTĀJUMS

QUEUE
[kjuː]

RINDA

QUICK
[kwik]

ĀTRS

QUICKSAND
['kwiksænd]

PLŪSTOŠĀS SMILTIS

QUIET
['kwaiət]

KLUSS

QUILL
[kwil]

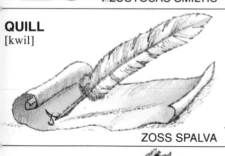

ZOSS SPALVA

QUILT [kwilt]

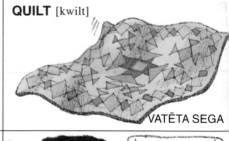

VATĒTA SEGA

QUIVER
['kwivə]

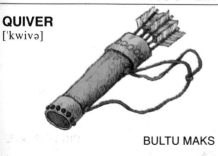

BULTU MAKS

QUIZ (TO)
[kwiz]

IZJAUTĀT

R

RACE
[reis]

SACĪKSTES

RADIO [ˈreidiəʊ]

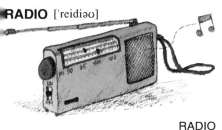

RADIO

RAFT
[rɑːft]

PLOSTS

RAIN
[rein]

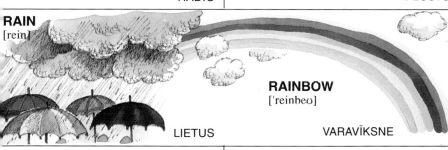

RAINBOW
[ˈreinbeʊ]

LIETUS

VARAVĪKSNE

READ (TO)
[riːd]

LASĪT

RECORD
[ˈrekɔːd]

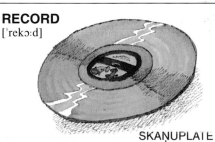

SKAŅUPLATE

REFRIGERATOR [rəˈfridʒəreitə]

LEDUSSKAPIS

RELATIVES [ˈrelətɪvs]

RADINIEKI

RELAX (TO)
[rəˈlæks]

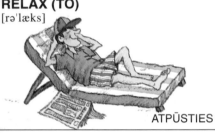

ATPŪSTIES

REPEAT (TO)
[rəˈpiːt]

ATKĀRTOT

REST (TO)
[rest]

ATPŪSTIES

RESTAURANT
[ˈrestrɒnt]

RESTORĀNS

RHINOCEROS [raiˈnɒsərəs]

DEGUNRADZIS

RICE
[rais]

RĪSI

ĊCH [ritʃ]
AGĀTS

RIGHT PA LABI
[rait]

RING
[iŋ]

GREDZENS

RIVER [ˈrɪvə] UPE

ROAD
[rəʊd]

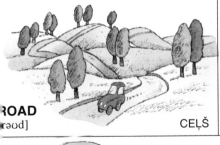

CEĻŠ

ROBOT
[ˈrəʊbɒt]

ROBOTS

ROCK
[rɒk]

ROLL (TO)
[rəʊl]

KLINTS RIPOT

ROPE
[rəʊp]

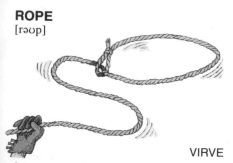

VIRVE

ROYAL
['rɔiəl]

KARALISK

RUBBER/ERASER
['rʌbə/i'reizə]

DZĒŠAMGUMIJA

RUCKSACK
['rʌksæk]

MUGURSOMA

RUN (TO)   SKRIET
[rʌn]

RUN ACROSS (TO)
[rʌn ə'krɒs]
NEJAUŠI ATRAST

RUN AFTER (TO)
[rʌn 'ɑːftə]
VAJĀT

RUN AWAY (TO)
[rʌn ə'wei]
AIZBĒGT

RUN AROUND (TO)
[rʌn ə'raʊnd]
SKRAIDĪT ŠURPU TURPU

RUN OVER (TO)
[rʌn 'əʊvə]
SABRAUKT

RUN OUT OF (TO)
[rʌn aʊt ɒv]
BEIGTIES

RUN TO (TO)
[rʌn tu]
SASNIEGT

S

SAD
[sæd]

BĒDĪGS

SAFE
[seif]

SEIFS

SAIL
[seil]

BURA

SALE
[seil]

IZPĀRDOŠANA

SAME
[seim]

TAS PATS/TĀDS PATS

SAND
[sænd]

SMILTIS

SAVE (TO)
[seiv]

KRĀT

95

SAY (TO)
[sei]

SACĪT

SCALE
[skeil]

SVAR

SCARF
[skɑːf]

ŠALLE

SCENERY
['sinəri]

AINAV

SCHOOL
[skuːl]

SKOLA

SCISSORS
['sizəz]

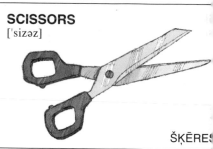

ŠĶĒRES

SEA
[siː]

SEAL
[siːl]

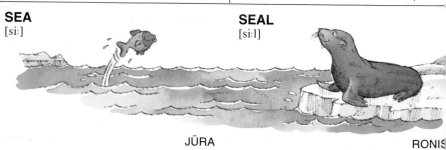

JŪRA

RONIS

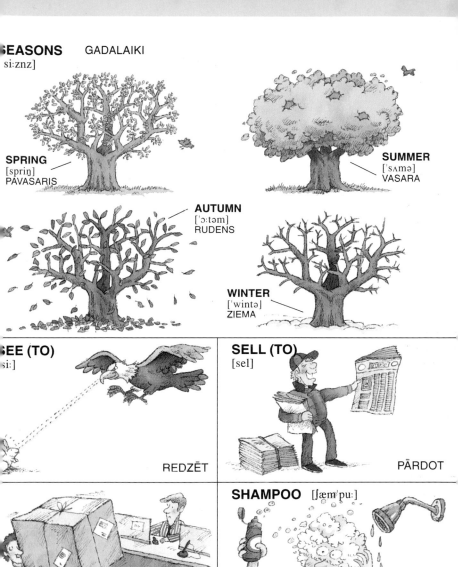

SEASONS
GADALAIKI
[si:znz]

SPRING
[spriŋ]
PAVASARIS

SUMMER
['sʌmə]
VASARA

AUTUMN
['ɔːtəm]
RUDENS

WINTER
['wintə]
ZIEMA

SEE (TO)
[si:]

REDZĒT

SELL (TO)
[sel]

PĀRDOT

SEND (TO) [send]

SŪTĪT

SHAMPOO [ʃæm'pu:]

ŠAMPŪNS

SHAPES   FIGŪRAS
[ʃeips]

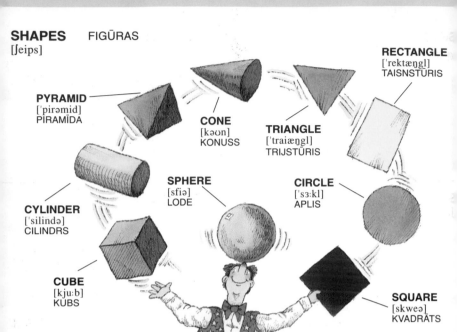

PYRAMID
['pirəmid]
PIRAMĪDA

CONE
[kəʊn]
KONUSS

TRIANGLE
['traiæŋgl]
TRIJSTŪRIS

RECTANGLE
['rektæŋgl]
TAISNSTŪRIS

CYLINDER
['silində]
CILINDRS

SPHERE
[sfiə]
LODE

CIRCLE
['sɜːkl]
APLIS

CUBE
[kjuːb]
KŪBS

SQUARE
[skweə]
KVADRĀTS

SHARK
[ʃɑːk]

HAIZIVS

SHAVE (TO)
[ʃeiv]

SKŪTIES

SHELL
[ʃel]

GLIEMEŽVĀKS

SHIP
[ʃip]

KUĢIS

SHOP [ʃɒp]

VEIKALS

SHORT [ʃɔːt]

ĪSS

SHORT [ʃɔːt]

ĪSS/MAZA AUGUMA

SHOUT (TO) [ʃaʊt]

KLIEGT

SHOWER [ˈʃaʊə]   DUŠA

SICK
[sik]

SLIMS

SIDEWALK [ˈsaidwɔːk]   IETVE

SIGN
[sain]

ZĪME

SIT DOWN (TO)
[sit]

APSĒSTIES

SKATE (TO)
[skeit]

SLIDOT

SKIN
[skin]

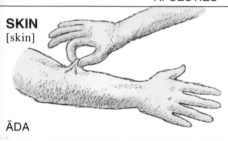

ĀDA

SKY
[skai]

DEBESIS

SKYSCRAPER
['skai̯ˌskreipə]

DEBESSKRĀPIS

SLEEP (TO)
[sli:p]

GULĒT

SLEIGH
[slei]

RAGAVAS

SLOW
[sləʊ]

LĒNS

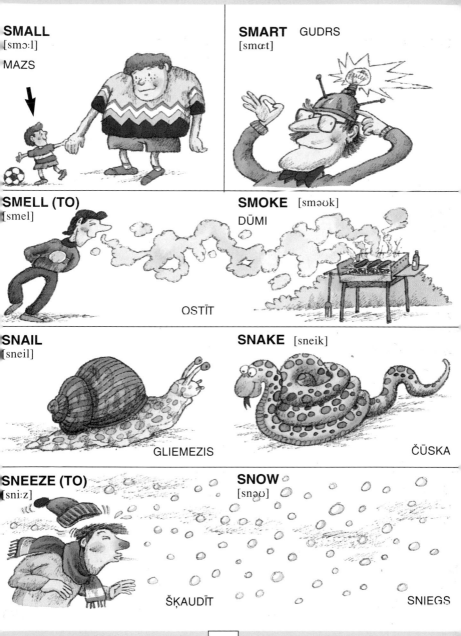

SMALL
[smɔ:l]

MAZS

SMART GUDRS
[smɑ:t]

SMELL (TO)
[smel]

OSTĪT

SMOKE [sməʊk]
DŪMI

SNAIL
[sneil]

GLIEMEZIS

SNAKE [sneik]

ČŪSKA

SNEEZE (TO)
[sni:z]

ŠĶAUDĪT

SNOW
[snəʊ]

SNIEGS

SO
[səʊ]

TĀ

SOAP
[səʊp]

ZIEPES

SOFT
[sɒft]

MĪKSTS

SONG
[sɒŋ]

DZIESMA

SORRY!
['sɒri]

ATVAINO!

SPACESHIP
['speisʃip]

KOSMOSA KUĢIS

SPEAK (TO)
[spi:k]

RUNĀT

SPEND (TO)
[spend]

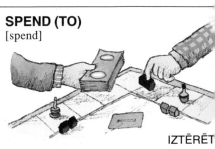

IZTĒRĒT

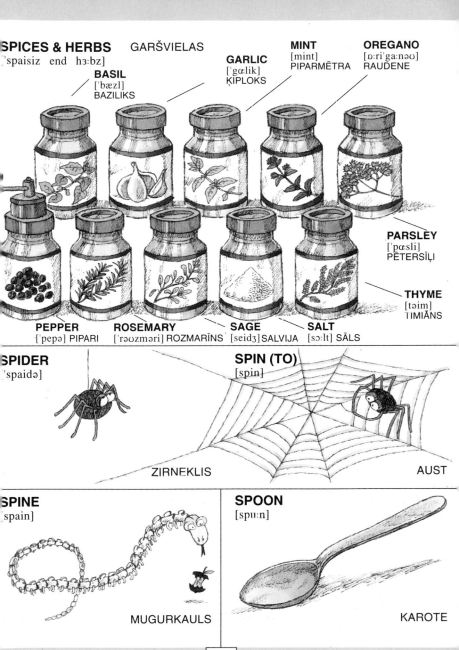

SPICES & HERBS GARŠVIELAS
['spaisiz end hɜ:bz]

BASIL
['bæzl]
BAZILIKS

GARLIC
['gɑːlik]
ĶIPLOKS

MINT
[mint]
PIPARMĒTRA

OREGANO
[ɒriˈgaːnəʊ]
RAUDENE

PARSLEY
['pɑːsli]
PĒTERSĪĻI

THYME
[təim]
TIMIĀNS

PEPPER
['pepə] PIPARI

ROSEMARY
['rəʊzməri] ROZMARĪNS

SAGE
[seidʒ] SALVIJA

SALT
[sɔːlt] SĀLS

SPIDER
['spaidə]

ZIRNEKLIS

SPIN (TO)
[spin]

AUST

SPINE
[spain]

MUGURKAULS

SPOON
[spuːn]

KAROTE

103

SPORTS
[spɔ:ts]

SPORTA VEIDI

ARCHERY
['ɑːtʃəri]
LOKA ŠAUŠANA

AMERICAN FOOTBALL
[ə'merikən 'fʊtbɔ:l]
AMERIKĀŅU FUTBOLS

BASEBALL
['beisbɔ:l]
BEISBOLS

CRICKET
['krikit]
KRIKETS

CYCLING
['saikliŋ]
RITEN-
BRAUKŠANA

BASKETBALL
['bɑːskitbɔ:l] BASKETBOLS

GYMNASTICS
[dʒim'næstiks]
VINGROŠANA

RIDING
['raidiŋ]
JĀŠANA

ICE SKATING
[ais'skeitiŋ]
SLIDOŠANA

ICE HOCKEY
[ais 'hɒki]
HOKEJS

104

RUNNING
['rʌniŋ]
SKRIEŠANA

RUGBY
['rʌgbi]
REGBIJS

SAILING
['seiliŋ]
BURĀŠANA

SOCCER/FOOTBALL
['sɒkə/'fʊtbɔːl]
FUTBOLS

SKIING
['skiːiŋ]
SLĒPOŠANA

VOLLEYBALL
['vɒlibɔːl]
VOLEJBOLS

SURFING
['sɜːfiŋ]
SĒRFINGS

TENNIS
['tenis]
TENISS

SWIMMING
['swimiŋ]
PELDĒŠANA

WEIGHT LIFTING
[weit ˌliftiŋ]
SVARCELŠANA

105

SQUARE
[skweə]   LAUKUMS

SQUIRREL
['skwirəl]

VĀVERE

STAMP
[stæmp]

PASTMARKA

STAR
[stɑː]

ZVAIGZNE

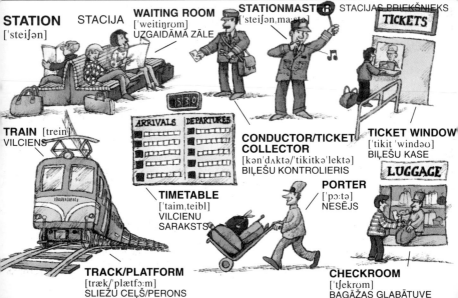

STATION   STACIJA
['steiʃən]

WAITING ROOM
['weitiŋrom]
UZGAIDĀMĀ ZĀLE

STATIONMASTER   STACIJAS PRIEKŠNIEKS
['steiʃən,mɑːstə]

TICKETS

ARRIVALS   DEPARTURES

TRAIN [trein]
VILCIENS

**CONDUCTOR/TICKET
COLLECTOR**
[kən'dʌktə/'tikitkə'lektə]
BIĻEŠU KONTROLIERIS

TICKET WINDOW
['tikit 'windəʊ]
BIĻEŠU KASE

LUGGAGE

TIMETABLE
['taim,teibl]
VILCIENU
SARAKSTS

PORTER
['pɔːtə]
NESĒJS

TRACK/PLATFORM
[træk/'plætfɔːm]
SLIEŽU CEĻŠ/PERONS

CHECKROOM
['tʃekrom]
BAGĀŽAS GLABĀTUVE

STICK
[stik]

NŪJA

STOP (TO)
[stɒp]

APTURĒT

STREET [striːt]

IELA

STRONG [strɒŋ]

SPĒCĪGS

STUDENT
['stjuːdənt]

STUDENTS

STUDY (TO)
['stʌdi]

MĀCĪTIES

SUBMARINE
[ˌsʌbməˈriːn]

ZEMŪDENE

SUITCASE
['suːtkeis]

ČEMODĀNS

SUN
[sʌn]

SAULE

SUNRISE/SUNSET
[ˈsʌnraiz/ˈsʌnset]

SAULLĒKTS/SAULRIETS

SUPERMARKET

[ˈsuːpəmɑːkit]
LIELVEIKALS

SURNAME
[ˈsɜːneim]

UZVĀRDS

SURPRISE
[səˈpraiz]

PĀRSTEIGUMS

SWEET
[swiːt]

KONFEKTE

SWIM (TO)
[swim]

SWIMMING POOL [ˈswimiŋ puːl]

PELDĒT

PELDBASEINS

T

T-SHIRT
['tiːʃɜːt]

T-KREKLS

TABLE
['teibl]

GALDS

TABLECLOTH
['teiblklɒθ]

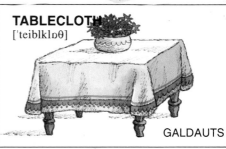

GALDAUTS

TAIL
[teil]

ASTE

TAKE (TO)
[teik]

NOGĀDĀT

TAKE (TO)
[teik]

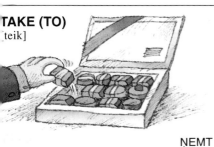

ŅEMT

TALL
[tɔːl]

GАRŠ/LIELA AUGUMA

109

TAXI ['tæksi]

TAKSOMETRS

TELEPHONE/FAX ['telifəʊn/fæks]

TELEFONS/FAKSS

TELEVISION SET ['teliviʒən set]

TELEVIZORS

TELEX ['teleks]

TELEKSS

TELL (TO) [tel]

STĀSTĪT

TEMPERATURE ['temprətʃə]

TEMPERATŪRA

TENNIS COURT ['tenis kɔːt]

TENISA KORTS

THANK YOU [θæŋk juː]

PALDIES!

THAT
[ðæt]

TAS

THE
[ðə, ði; ði:]

(noteiktais artikuls)

THEATRE
['θiətə]

TEĀTRIS

THEN
[ðen]

TAD

THERE
[ðeə, ðə]

TUR

THESE
[ði:z]

ŠIE/ŠĪS

THIN
[θin]

TIEVS

THINK (TO)
[θiŋk]

DOMĀT

THIRSTY
['θɜːsti]

IZSLĀPIS

THIS
[ðis]

ŠIS

THOSE
[ðəʊz]

TIE/TĀS

THROAT
[θrəʊt]

RĪKLE

THUMB
[θʌm]

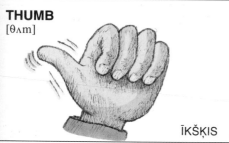

ĪKŠĶIS

TIME
[taim]

LAIKS

TIRED
['taiəd]

NOGURIS

TODAY
[tə'dei]

ŠODIEN

TOGETHER
[təˈɡeðə]

KOPĀ

TOMORROW
[təˈmɒrəʊ]

RĪT

TONGUE
[tʌŋ]

MĒLE

TOOTH (-PASTE/-BRUSH)
[tuːθ peist/brʌʃ]

ZOBS (ZOBU PASTA/SUKA)

TORTOISE
[ˈtɔːtəs]

BRUŅURUPUCIS

TOWEL
[ˈtaʊəl]

DVIELIS

TOWN
[taʊn]

PILSĒTA

TOY
[tɔi]

ROTAĻLIETA

TRAFFIC LIGHT
['træfik lait]

LUKSOFORS

TRAIL
[treil]

TAKA

TRAVEL (TO)
['trævl]

CEĻOT

TREASURE
['treʒə]

BAGĀTĪBA

TREE
[tri:]

KOKS

TURKEY
['tɜːki]

TĪTARS

TWINS
[twins]

DVĪŅI

TYPEWRITER
['taipraitə]

RAKSTĀMMAŠĪNA

U

UGLY ['ʌgli]
NEGLĪTS

UMBRELLA [ʌmˈbrelə]

LIETUSSARGS

UNDER ['ʌndə]

ZEM

UNDERSTAND (TO) [ˌʌndəˈstænd]

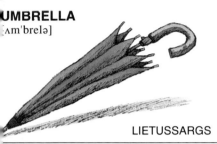

SAPRAST

UNHAPPY [ʌnˈhæpi]

NELAIMĪGS

UNIVERSITY [ˌjuːniˈvɜːsəti]

UNIVERSITĀTE

UP [ʌp]

AUGŠUP

V

VACANCY ['veikənsi]
BRĪVA VIETA

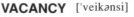

VACATION [vəˈkeiʃən]

ATVAĻINĀJUMS/
BRĪVDIENAS

VACUUM CLEANER ['vækjʊm ˌkliːnə]

PUTEKĻUSŪCĒJS

VALENTINE'S DAY ['væləntains dei]

VALENTĪNA DIENA

VALLEY ['væli]

IELEJA

VAMPIRE ['væmpaiə]

VAMPĪRS

VASE [vɑːz]

VĀZE

116

VEGETABLES DĀRZEŅI
['vedʒtəblz]

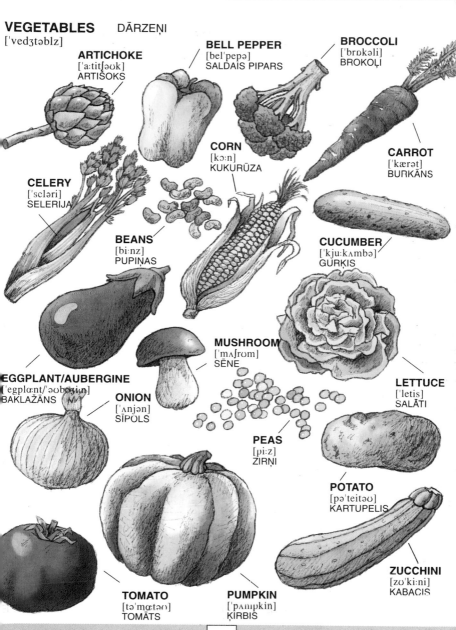

ARTICHOKE
['a:titʃəʊk]
ARTIŠOKS

BELL PEPPER
[bel'pepə]
SALDAIS PIPARS

BROCCOLI
['brɒkəli]
BROKOĻI

CORN
[kɔ:n]
KUKURŪZA

CARROT
['kærət]
BURKĀNS

CELERY
['seləri]
SELERIJA

BEANS
[bi:nz]
PUPIŅAS

CUCUMBER
['kju:kʌmbə]
GURĶIS

MUSHROOM
['mʌʃrʊm]
SĒNE

EGGPLANT/AUBERGINE
['egpla:nt/'əʊbəʒi:n]
BAKLAŽĀNS

ONION
['ʌnjən]
SĪPOLS

LETTUCE
['letis]
SALĀTI

PEAS
[pi:z]
ZIRŅI

POTATO
[pə'teitəʊ]
KARTUPELIS

ZUCCHINI
[zʊ'ki:ni]
KABACIS

TOMATO
[tə'mɑːtəʊ]
TOMĀTS

PUMPKIN
['pʌmpkin]
ĶIRBIS

VERY
['veri]

ĻOTI

VICTORY
['viktəri]

UZVARA

VIEW
[vju:]

SKATS

VILLAGE
['vilidʒ]

CIEMS

VISA
['vi:zə]

VĪZA

VOICE
[vɔis]

BALSS

VOLCANO
[vɒl'keinəʊ]

VULKĀNS

VOTE (TO) [vəʊt]

BALSOT

118

W

WAIST
[weist]

VIDUKLIS

WAIT FOR (TO)
[weit fɔ:]

GAIDĪT

WAKE UP (TO)
[weik ʌp]

PAMOSTIES

WALK (TO)
[wɔ:k]

STAIGĀT

WALL
[wɔ:l]

SIENA

WANT (TO)
['wɒnt]

GRIBĒT

WARM (TO)
[wɔ:m]

SILDĪT

119

WASH (TO)
[wɒʃ]

MAZGĀT

WASHING MACHINE
[ˈwɒʃiŋ məˈʃiːn]

VEĻAS MAZGĀJAMĀ
MAŠĪNA

WATCH
[wɒtʃ]

PULKSTENIS

WATER
[ˈwɔːtə]

ŪDENS

WAVE
[weiv]

VILNIS

WEAPON
[ˈwepən]

IEROCIS

WEAR (TO)
[weə]

VALKĀT

WEATHER [ˈweðə]

LAIKS

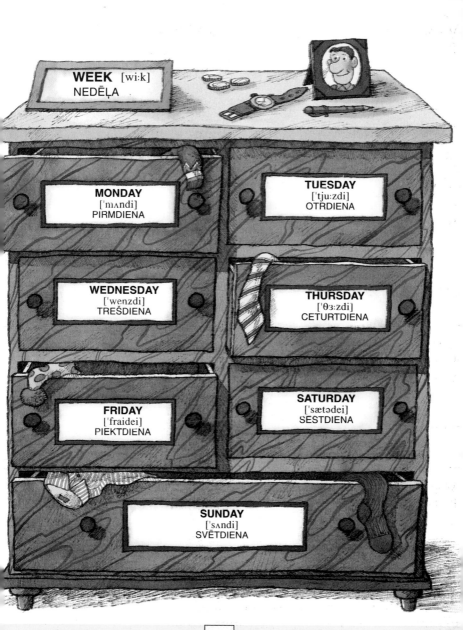

WEEK [wiːk]
NEDĒĻA

MONDAY
[ˈmʌndi]
PIRMDIENA

TUESDAY
[ˈtjuːzdi]
OTRDIENA

WEDNESDAY
[ˈwenzdi]
TREŠDIENA

THURSDAY
[ˈθɜːzdi]
CETURTDIENA

FRIDAY
[ˈfraidei]
PIEKTDIENA

SATURDAY
[ˈsætədei]
SESTDIENA

SUNDAY
[ˈsʌndi]
SVĒTDIENA

WELCOME
['welkəm]

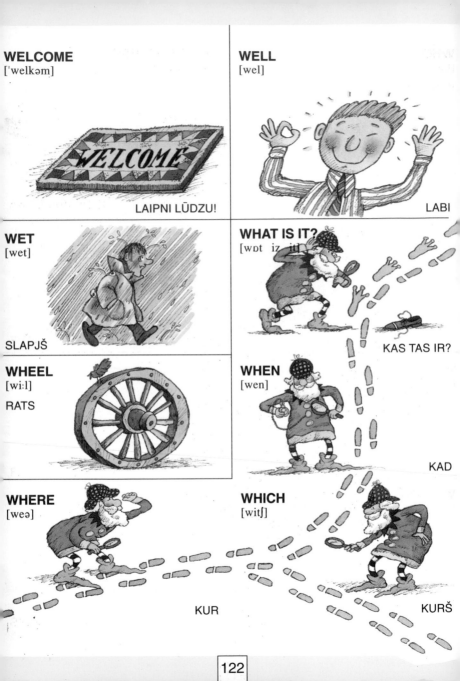

LAIPNI LŪDZU!

WELL
[wel]

LABI

WET
[wet]

SLAPJŠ

WHAT IS IT?
[wɒt iz it]

KAS TAS IR?

WHEEL
[wi:l]

RATS

WHEN
[wen]

KAD

WHERE
[weə]

KUR

WHICH
[witʃ]

KURŠ

122

WHO
[hu:]
KAS/KURŠ

WHY/BECAUSE
[wai/bi'kɒz]

KĀPĒC/TĀPĒC KA

WIN (TO)/LOSE (TO) [win/lu:z]

UZVARĒT/ZAUDĒT

WIND [wind]

VĒJŠ

WINDOW
['windəʊ]

LOGS

WITH
[wið]

AR

WITHOUT
[wi'ðaʊt]

BEZ

WOLF
[wʊlf]

VILKS

123

WOMAN
['wʊmən]

SIEVIETE

WOOD
[wʊd]

MEŽS

WOOD [wʊd]

MALKA

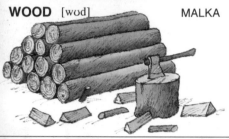

WOOL
[wʊl]

VILNA

WORD
[wɜːd]

VĀRDS

WORK (TO)
[wɜːk]

STRĀDĀT

WORLD
[wɜːld]

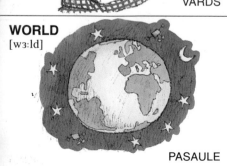

PASAULE

WRITE (TO)
[rait]

RAKSTĪT

X

XYLOPHONE
['zailəfəʊn]

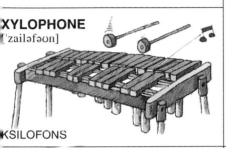

KSILOFONS

X-RAY
['eksrei]

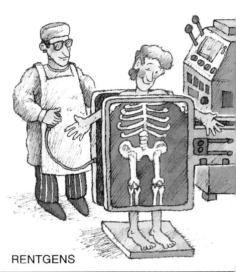

RENTGENS

Y

YES
[jes]

JĀ

YESTERDAY
['jestədi]

VAKAR

YOUNG
[jʌŋ]

JAUNS

125

Z

ZEBRA CROSSING
['zi:brə 'krɒsiŋ]

GĀJĒJU PĀREJA

ZERO
['ziərəʊ]

NULLE

ZIGZAG
['zigzæg]

ZIGZAGLĪNIJA

ZIPPER
['zipə]

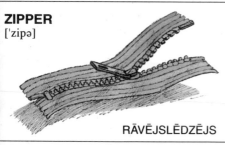

RĀVĒJSLĒDZĒJS

ZODIAC
['zəʊdiæk]

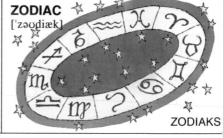

ZODIAKS

ZOO
[zu:]

ZOODĀRZS

Latviski	Angliski	Izruna	Lpp.

A

ACS	EYE	[ai]	20
ADATA	NEEDLE	['ni:dl]	78
ADRESE	ADDRESS	[ə'dres]	7
AGRĀK	BEFORE	[bi'fɔ:]	17
AGRI	EARLY	['ɜ:li]	40
AINAVA	SCENERY	['sinəri]	96
AIRIS	OAR	[ɔ:]	19
AIRSOLS	THWART	[θwɔ:t]	19
AITA	SHEEP	[ʃi:p]	13
AIZ	BEHIND	[bi'haind]	17
AIZBĒGT	RUN AWAY (TO)	[rʌn ə'wei]	94
AIZBRAUKT	LEAVE (TO)	[li:v]	66
AIZDEDZE	IGNITION SWITCH	[ig'niʃən switʃ]	25
AIZMIDZIS	ASLEEP	[ə'sli:p]	14
AIZMIRST	FORGET (TO)	[fə'get]	48
AIZMUGURĒJAIS LOGS	REAR WINDOW	[riə 'windəu]	25
AIZMUGURĒJAIS SĒDEKLIS	BACK SET	[bæk si:t]	25
AIZŅEMTS	BUSY	['bizi]	23
AIZSARGSTIKLS	WINDSHIELD/ WINDSCREEN	['windʃi:ld/ 'windskri:n]	25
AIZVĒRTS	CLOSED	[klouzd]	82
AKORDEONS	ACCORDION	[ə'kɔ:diən]	74
AKSELERATORA PEDĀLIS	ACCELERATOR	[ək'sclərcitə]	25
AKTIERIS	ACTOR	['æktə]	86
AMERIKĀŅU FUTBOLS	AMERICAN FOOTBALL	[ə'merikən 'fʊtbɔ:l]	104
ANANASS	PINEAPPLE	['painæpl]	49
ANGĀRS	HANGAR	['hæŋə]	10
ANTENA	ANTENNA	[æn'tenə]	25, 59
APAKŠA	BOTTOM	['bɒtəm]	21
APAKŠSTILBS	SHIN	[ʃin]	20
APELSĪNS	ORANGE	['ɒrindʒ]	49
APERITĪVS	APERITIF	[ə,peri'ti:f]	37
APĢĒRBS	CLOTHES	[kləuðz]	29
APLIS	CIRCLE	['sɜ:kl]	98
APLOKSNE	ENVELOPE	['envələup]	42
APRIKOZE	APRICOT	['eiprikɒt]	49
APRĪLIS	APRIL	['eiprəl]	72
APSĒSTIES	SIT DOWN (TO)	[sit 'daʊn]	100
APSILDE	HEATING	['hi:tiŋ]	25
APSOLĪT	PROMISE (TO)	['prɒmis]	88

Latviski	Angliski	Izruna	Lpp.
APSPRIEST	DISCUSS (TO)	[di'skʌs]	38
APSVEICU!	CONGRATULATIONS!	[kən'grætjʊleiʃənz]	32
APTIEKA	CHEMIST'S/PHARMACY	['kemists/'fɑːməsi]	27
APTURĒT	STOP (TO)	[stɒp]	107
APVIENOTĀ KARALISTE	UNITED KINGDOM	[juː,naitid'kiŋdəm]	77
AR	WITH	[wið]	123
ARBŪZS	WATERMELON	['wɔːtəmelən]	49
ARFA	HARP	[hɑːp]	74
ARĪ	ALSO	['ɔːlsəʊ]	11
ARTIŠOKS	ARTICHOKE	['aːtitʃəʊk]	117
ASINIS	BLOOD	[blʌd]	18
ASTE	TAIL	[teil]	10,109
ASTOŅI	EIGHT	[eit]	80
ASTOTAIS	EIGHTH	['eitθs]	80
ASTRONAUTS	ASTRONAUT	['æstrənɔːt]	14
ASV (AMERIKAS SAVIENOTĀS VALSTIS)	U.S.A. (United States of America)	[juːes'eɪ] [juːnaitid'steits ɒv ə'merikə]	77
ATBALSS	ECHO	['ekəʊ]	41
ATBILDE	ANSWER	['ɑːnsə]	14
ATKĀRTOT	REPEAT (TO)	[rə'piːt]	92
ATKRITUMI	GARBAGE	['gɑːbidʒ]	50
ATLIKUMS	CHANGE	[tʃeindʒ]	27
ATPAKAĻSKATA SPOGULIS	REARVIEW MIRROR	[,riəvjuː'mirə]	25
ATPŪSTIES	RELAX (TO)/ REST (TO)	[rə'læks]/[rest]	92
ATPŪTAS KRĒSLS	ARMCHAIR	['ɑːmtʃeə]	14
ATSLĒGA	KEY	[kiː]	64
ATSTAROTĀJS	REFLECTOR	[ri'flektə]	18
ATŠĶIRĪGS	DIFFERENT	['difərənt]	36
ATVAINO!	SORRY!	['sɔri]	102
ATVAĻINĀJUMS/ BRĪVDIENAS	HOLIDAY/ VACATION	[hɒlədi]/ [və'keiʃən]	58, 116
ATVĒRTS	OPEN	['əʊpən]	82
AUGĻI	FRUIT	[fruːt]	49
AUGĻU SULA	FRUIT JUICE	[fruːt dʒuːs]	22
AUGSTS	HIGH	[hai]	57
AUGŠSTILBS	THIGH	[θai]	20
AUGŠUP	UP	[ʌp]	115
AUGT	GROW (TO)	[grəʊ]	54
AUGUSTS	AUGUST	['ɔːgəst]	72
AUKSTS	COLD	[kəʊld]	30
AUSKARS	EARRING	['iəriŋ]	29

Latviski	Angliski	Izruna	Lpp.
AUSS	EAR	[iə]	20
AUST	SPIN (TO)	[spin]	103
AUSTERE	OYSTER	['ɔɪstə]	82
AUSTRĀLIJA	AUSTRALIA	[ɒs'treiliə]	76
AUSTRIJA	AUSTRIA	['ɒstriə]	76
AUSTRUMI	EAST	[iːst]	79
AUTOBUSS	BUS	[bʌs]	23
AUTOMOBILIS	CAR	[kɑː]	25
AUTOSTRĀDE	HIGHWAY	['haiwei]	57
AVENE	RASPBERRY	['rɑːzbəri]	49

Ā

ĀBOLS	APPLE	['æpl]	49
ĀDA	SKIN	[skin]	100
ĀLIŅĢIS/CAURUMS	HOLE	[həʊl]	58
ĀMURS	HAMMER	['hæmə]	55
ĀRĀ	OUT	[aʊt]	82
ĀRDURVIS	FRONT DOOR	[frʌnt dɔː]	59
ĀRSTS	DOCTOR	['dɒktə]	86
ĀTRS	FAST/QUICK	[fɑːst]/[kwik]	45, 90
ĀTRUMA PĀRSLĒGS	GEARSHIFT	[giəsift]	18, 25

B

BAGĀTĪBA	TREASURE	['treʒə]	114
BAGĀTS	RICH	[ritʃ]	93
BAGĀŽAS GLABĀTUVE	CHECKROOM	['tʃekrʊm]	106
BAGĀŽAS SAŅEMŠANA	BAGGAGE CLAIM	['bægidʒ kleim]	9
BAGĀŽNIEKS	CARRIER/ TRUNK/BOOT	['kæriə]/ [trʌŋk]/[buːt]	18, 25
BAIDĪTIES	AFRAID (TO BE)	[ə'freid]	8
BAKLAŽĀNS	EGGPLANT/AUBERGINE	['egplɑnt/'əʊbəʒiːn]	117
BALKONS	BALCONY	['bælkəni]	59
BALONS	BALLOON	[bə'luːn]	15
BALSOT	VOTE (TO)	[vəʊt]	118
BALSS	VOICE	[vɔis]	118
BALSTS	KICKSTAND	['kikstænd]	18
BALTS	WHITE	[wait]	31
BANĀNS	BANANA	[bə'nɑːnə]	49
BANKA	BANK	[bæŋk]	15

Latviski	Angliski	Izruna	Lpp.
BĀRDA	BEARD	[biəd]	16
BASKETBOLS	BASKETBALL	[ˈbɑːskitbɔːl]	104
BAZILIKS	BASIL	[ˈbæzl]	103
BAZNĪCA	CHURCH	[tʃɜːtʃ]	28
BĒDĪGS	SAD	[sæd]	95
BEIGAS	END	[end]	41
BEIGTIES	RUN OUT OF (TO)	[rʌn aʊt ɒv]	94
BEIGTS/MIRIS	DEAD	[ded]	36
BEISBOLS	BASEBALL	[ˈbeisbɔːl]	104
BEKONS	BACON	[ˈbeikən]	22
BEĻĢIJA	BELGIUM	[ˈbeldʒem]	76
BĒNIŅI	ATTIC	[ˈætik]	59
BĒRNIŅŠ	BABY	[ˈbeibi]	44
BĒRNS/BĒRNI	CHILD/CHILDREN	[tʃaild/ˈtʃildrən]	28, 44
BET	BUT	[bʌt]	23
BEZ	WITHOUT	[wiˈðaʊt]	123
BIBLIOTĒKA	LIBRARY	[ˈlaibrəri]	59
BIEŽI	OFTEN	[ˈɒfn]	81
BIFŠTEKS	STEAK	[steik]	37
BIKSES	PANTS/TROUSERS	[pænts/ˈtraʊzəz]	29
BIĻEŠU KASE	TICKET COUNTER/ TICKET WINDOW	[ˈtikit ˈkaʊntə]/ [ˈwindəʊ]	9,106
BIĻEŠU KONTROLIERIS	CONDUCTOR/TICKET COLLECTOR	[kənˈdʌktə/ ˈtikitkəˈlektə]	106
BIROJS	OFFICE	[ˈɒfis]	81
BITE	BEE	[biː]	17
BLAKUS	BESIDE	[biˈsaid]	17
BLŪZE	BLOUSE	[blaʊz]	29
BRĀLĒNI/MĀSĪCAS	COUSINS	[ˈkʌznz]	44
BRĀLIS	BROTHER	[ˈbrʌðə]	44
BRĀĻADĒLS; MĀSASDĒLS/ BRĀĻAMEITA; MĀSASMEITA	NEPHEW/NIECE	[ˈnefjuː/niːs]	44
BRAUKT	DRIVE (TO)	[draiv]	39
BRAZĪLIJA	BRAZIL	[brəˈzil]	76
BREMZE	BRAKE	[breik]	18, 25
BRIESMAS	DANGER	[ˈdeindʒə]	34
BRILLES	GLASSES	[ˈglɑːsiz]	52
BRĪVA VIETA	VACANCY	[ˈveikənsi]	116
BRĪVDIENAS/ ATVAĻINĀJUMS	HOLIDAY/ VACATION	[ˈhɒlədi]/ [vəˈkeiʃen]	58, 116
BROKASTIS	BREAKFAST	[ˈbrekfəst]	22
BROKOĻI	BROCCOLI	[ˈbrɒkəli]	117

C

Latviski	Angliski	Izruna	Lpp.
CIRKS	CIRCUS	['sɜːkəs]	28
CITRONS	LEMON	['lemən]	49
COLLA	INCH	[intʃ]	62
CŪKA	PIG	[pig]	12
CŪKGAĻA	PORK	[pɔːk]	37
CUKURS	SUGAR	['ʃʊgə]	22

Č

ČEKS	CHECK	[tʃek]	27
ČEMODĀNS	SUITCASE	['suːtkeis]	107
ČETRI	FOUR	[fɔː]	80
ČETRLAPU ĀBOLIŅŠ	FOUR-LEAF CLOVER	[fɔːliːfˈkləʊvə]	48
ČŪSKA	SNAKE	[sneik]	101

D

DAKŠIŅA	FORK	[fɔːk]	48
DĀNIJA	DENMARK	['denmaːk]	77
DARBS	JOB	[dʒɒb]	63
DĀRGAKMENS	JEWEL	['dʒuːəl]	63
DARĪT	DO (TO)	[duː]	38
DĀRZEŅI	VEGETABLES	['vedʒtəblz]	117
DĀRZS	GARDEN	['gɑːdn]	50
DATELE	DATE	[deit]	49
DATORS	COMPUTER	[kəmˈpjuːtə]	31
DATUMS	DATE	[deit]	34
DAUDZ	MANY/MUCH	['meni]/[mʌtʃ]	69, 73
DĀVANA	GIFT/PRESENT	[gift]/['prezənt]	51, 85
DEBESIS	HEAVEN/SKY	['hevn]/[skai]	56, 100
DEBESSKRĀPIS	SKYSCRAPER	['skai,skreipə]	100
DECEMBRIS	DECEMBER	[diˈsembə]	72
DEGT	BURN (TO)	[bɜːn]	23
DEGUNRADZIS	RHINOCEROS	[raiˈnɒsərəs]	92
DEGUNS	NOSE	[nəʊz]	20
DEGVIELA	GASOLINE	['gæsəliːn]	50
DEGVIELAS TVERTNE	FUEL TANK	['fjʊəl tæŋk]	25
DEJOT	DANCE (TO)	[dɑːns]	34
DELFĪNS	DOLPHIN	['dɒlfin]	38
DĒLS	SON	[sʌn]	44
DESIŅA	SAUSAGE	['sɒsidʒ]	22

Latviski	Angliski	Izruna	Lpp.
DESMIT	TEN	[ten]	80
DESMITAIS	TENTH	[tenθ]	80
DEVIŅI	NINE	[nain]	80
DEVĪTAIS	NINTH	[nainθ]	80
DIENA	DAY	[dei]	35
DIENAS AVĪZE	DAILY	['deili]	34
DIENAS VIDUS	NOON	[nu:n]	35
DIENVIDĀFRIKA	SOUTH AFRICA	['səʊθ'æfrikə]	76
DIENVIDAUSTRUMI	SOUTH-EAST	[ˌsaʊθ'i:st]	79
DIENVIDI	SOUTH	[saʊθ]	79
DIENVIDRIETUMI	SOUTH-WEST	[ˌsaʊθ'west]	79
DINAMO	DYNAMO	['dainəməʊ]	18
DINOZAURS	DINOSAUR	['dainəsɔ:]	38
DIRIĢENTS	MUSIC CONDUCTOR	['mju:zik kən'dʌktə]	86
DISKS	HUBCAP	['hʌbkæp]	25
DĪVĀNS	SOFA	['səʊfə]	59
DIVI	TWO	[tu:]	80
DOMA	IDEA	[ai'diə]	61
DOMĀT	THINK (TO)	[θiŋk]	111
DOT	GIVF (TO)	[giv]	52
DRAUGS	FRIEND	[frend]	48
DROŠĪBAS JOSTA	SEAT BELT	[si:t belt]	25
DROŠĪBAS KONTROLE	SECURITY CHECK	[si'kjʊərəti tʃek]	9
DUBĻUSARGS	FENDER	['fendə]	18
DULLIS	OARLOCK	['ɔ:lɒk]	19
DŪMI	SMOKE	[sməʊk]	101
DURVIS	DOOR	[dɔ:]	25, 39, 59
DURVJU ROKTURIS	DOOR HANDLE	[dɔ: 'hændl]	25
DUSMĪGS	ANGRY	['æŋgri]	11
DUŠA	SHOWER	['ʃaʊə]	99
DVIELIS	TOWEL	['taʊəl]	113
DVĪŅI	TWINS	[twins]	114
DZELTENĀ NARCISE	DAFFODIL	['dæfədil]	47
DZELTENS	YELLOW	['jeləʊ]	31
DZENSKRŪVE	PROPELLER	[prə'pelə]	19
DZĒRIENS	SOFT DRINK	[sɒft driŋk]	68
DZERT	DRINK (TO)	[driŋk]	39
DZĒŠAMGUMIJA	RUBBER/ERASER	['rʌbə/i'reizə]	94
DZIEDĀTĀJA	SINGER	['siŋə]	86
DZIESMA	SONG	[sɒŋ]	102
DZIMŠANAS DIENA	BIRTHDAY	['bɜ:θdei]	18
DZIRDĒT	HEAR (TO)	[hiə]	56
DZĪVNIEKI	ANIMALS	['æniməlz]	12

Latviski	Angliski	Izruna	Lpp.
DZĪVOJAMĀ ISTABA	LIVING ROOM	['liviŋ rʊm]	59
DZĪVOT	LIVE (TO)	[liv]	67
DZĪVS	ALIVE	[ə'laiv]	11
DŽEMPERIS	SWEATER	['swetə]	29
DŽINSI	JEANS	[dʒi:nz]	29

E

EKIPĀŽAS KABĪNE	FLIGHT DECK	[flait dek]	10
EKSĀMENS	EXAM	[ig'zæm]	42
ELEGANTS	ELEGANT	['eligənt]	41
ELEKTRĪBA	ELECTRICITY	[i,lek'trisəti]	41
ELEKTRISKĀ ĢITĀRA	ELECTRIC GUITAR	[i'lektrik gi'tɑ:]	74
ELKONIS	ELBOW	['elbəʊ]	20
EZERS	LAKE	[leik]	65

Ē

ĒDAMISTABA	DINING ROOM	['dainiŋ rʊm]	59
ĒDIENKARTE	MENU	['menju:]	71
ĒDIENREIZE	MEAL	[mi:l]	70
ĒĢIPTE	EGYPT	['i:dʒipt]	76
ĒRGLIS	EAGLE	['i:gl]	40
ĒST	EAT (TO)	[i:t]	40
ĒZELIS	DONKEY	['dɒŋki]	13

F

FAKSS	FAX	[fæks]	110
FEBRUĀRIS	FEBRUARY	['febrʊəri]	72
FEJA	FAIRY	['feəri]	43
FIGŪRAS	SHAPES	[ʃeips]	98
FIZELĀŽA	FUSELAGE	['fju:zəla:ʒ]	10
FLAUTA	FLUTE	[flu:t]	74
FOTOAPARĀTS	CAMERA	['kæmərə]	24
FOTOFILMA	FILM	[film]	46
FOTOGRĀFIJA	PHOTOGRAPH	['fəʊtəgrɑ:f]	84
FRANCIJA	FRANCE	[frɑ:ns]	76
FRIZIERIS	BARBER	['bɑ:bə]	86
FUTBOLS	SOCCER/FOOTBALL	['sɒkə/'fʊtbɔ:l]	105

#

Latviski	Angliski	Izruna	Lpp.
GRIEĶIJA	GREECE	[gri:s]	77
GRIEZT	CUT (TO)	[kʌt]	33
GRIPA	FLU	[flu:]	47
GROZS	BASKET	[ˈbɑːskit]	16
GRUPA	GROUP	[gru:p]	54
GRŪTI	DIFFICULT	[ˈdifikəlt]	36
GUDRS	SMART	[smɑːt]	101
GULĒT	SLEEP (TO)	[sli:p]	100
GULTA	BED	[bed]	17, 59
GUĻAMISTABA	BEDROOM	[ˈbedrɔm]	59
GURĶIS	CUCUMBER	[ˈkjuːkʌmbə]	117
GURNS	HIP	[hip]	20

Ģ

ĢIMENE	FAMILY	[ˈfæməli]	44
ĢITĀRA	GUITAR	[giˈtɑː]	54

H

HAIZIVS	SHARK	[ʃɑːk]	98
HAMBURGERS	HAMBURGER	[ˈhæmbɜːgə]	68
HELIKOPTERS	HELICOPTER	[ˈhelikɔptə]	57
HOKEJS	ICE HOCKEY	[ais ˈhɒki]	104
HOTDOGS	HOT DOG	[hɒt dɒg]	68

I

IEEJA	ENTRANCE	[ˈentrəns]	41
IEIET	GO IN (TO)	[gəʊ in]	52
IEKĀPT	GET ON (TO)	[get ɒn]	51
IEKĀPT/IEIET	GET IN (TO)	[get in]	51
IEKŠĀ	IN/AT	[in]/[æt]	14, 61
IEKŠĀ/IEKŠPUSE	INSIDE	[inˈsaid]	62
IELA	STREET	[striːt]	107
IELEJA	VALLEY	[ˈvæli]	116
IELIDOŠANA	ARRIVALS	[əˈraivəlz]	9
IEMĪĻOTS	FAVOURITE	[ˈfeivərit]	45
IENIRT	DIVE (TO)	[daiv]	38
IEPAZĪSTINĀT	INTRODUCE (TO)	[ˌintrəˈdjuːs]	62

Latviski	Angliski	Izruna	Lpp.
IEROCIS	WEAPON	['wepən]	120
IESLĒGTS/IZSLĒGTS	ON/OFF	[on/ɒf]	81
IESNAS	COLD	[kəʊld]	30
IET	GO (TO)	[gəʊ]	52
IETVE	SIDEWALK	['saidwɔːk]	99
IEVĀRĪJUMS	JAM	[dʒæm]	22
INDIĀNIS	INDIAN	['indiən]	62
INDIJA	INDIA	['indiə]	77
INFORMĀCIJA	INFORMATION	[ˌinfɔːˈmeiʃən]	62
INFORMĀCIJA PAR LIDOJUMIEM	FLIGHT INFORMATION	[flait͵infəˈmeiʃn]	9
ITĀLIJA	ITALY	['itəli]	76
IZBAUDĪT	ENJOY (TO)	[inˈdʒɔi]	41
IZEJA	GATE/EXIT	[geit]/[ˈegzit]	9, 42
IZIET	GO OUT (TO)	[gəʊ aʊt]	52
IZJAUTĀT	QUIZ (TO)	[kwiz]	90
IZKĀPT	GET OFF (TO)	[get ɒf]	51
IZKĀPT/IZIET	GET OUT (TO)	[get aʊt]	51
IZLIDOŠANA	DEPARTURES	[diˈpɑːtʃəz]	9
IZPĀRDOŠANA	SALE	[seil]	95
IZPLETNIS	PARACHUTE	['pærəʃuːt]	83
IZPŪTĒJS	EXHAUST PIPE	[igˈzɔːst paip]	25
IZRAĒLA	ISRAEL	['izreil]	76
IZSALCIS	HUNGRY	['hʌngri]	60
IZSKATĪGS	HANDSOME	['hænsəm]	55
IZSLĀPIS	THIRSTY	['θɜːsti]	112
IZTĒRĒT	SPEND (TO)	[spend]	102

Ī

ĪKŠĶIS	THUMB	[θʌm]	20, 112
ĪRIJA	IRELAND	['aiələnd]	76
ĪSS	SHORT	[ʃɔːt]	99
ĪSS/MAZA AUGUMA	SHORT	[ʃɔːt]	99

J

JA	IF	[if]	61
JĀ	YES	[jes]	125
JANVĀRIS	JANUARY	['dʒænjʊəri]	72
JAPĀNA	JAPAN	[dʒəˈpæn]	77

K

Latviski	Angliski	Izruna	Lpp.
KARAVĪRS	SOLDIER	[ˈsəʊldʒə]	87
KAROGS	FLAG	[flæg]	46
KAROTE	SPOON	[spuːn]	103
KARSTS	HOT	[hɒt]	58
KARSTUMS	HEAT	[hiːt]	56
KARTE	MAP	[mæp]	70
KĀRTIS	CARDS	[kaːdz]	26
KARTUPELIS	POTATO	[pəˈteitəʊ]	117
KAS TAS IR?	WHAT IS IT?	[wɒt iz it]	122
KAS/KURŠ	WHO	[huː]	123
KASTANIS	CHESTNUT	[ˈtʃesnʌt]	27
KASTE	BOX	[bɒks]	21
KATRS	EACH	[iːtʃ]	40
KAULS	BONE	[bəʊn]	21
KAZENE	BLACKBERRY	[ˈblækbəri]	49
KINO	CINEMA	[ˈsinəmə]	28
KIVI	KIWI	[ˈkiːwiː]	49
KLADE/BURTNĪCA	EXERCISE BOOK	[ˈeksəsaiz bʊk]	42
KLASE	CLASSROOM	[ˈklɑːsrʊm]	28
KLAUNS	CLOWN	[klaʊn]	30
KLAUSĪTIES	LISTEN (TO)	[ˈlisn]	67
KLAUVĒT	KNOCK (TO)	[nɒk]	64
KLAVIERES	PIANO	[piˈænəʊ]	74
KLEITA	DRESS	[dres]	29
KLIEGT	SHOUT (TO)	[ʃaʊt]	99
KLINTS	ROCK	[rɒk]	93
KLIŅĢERĪTE	MARIGOLD	[ˈmærigəʊld]	47
KLUSS	QUIET	[ˈkwaiət]	90
KĻŪDA	MISTAKE	[miˈsteik]	71
KĻŪT	BECOME (TO)	[biˈkʌm]	16
KOKOSRIEKSTS	COCONUT	[ˈkəʊkənʌt]	30, 49
KOKS	TREE	[triː]	114
KOLEDŽA	COLLEGE	[ˈkɒlidʒ]	30
KONCERTS	CONCERT	[ˈkɒnsət]	32
KONFEKTE	SWEET	[swiːt]	108
KONTRABASS	BASS	[beis]	74
KONUSS	CONE	[kəʊn]	98
KOPĀ	TOGETHER	[təˈgeðə]	113
KOPĒT	COPY (TO)	[ˈkɒpi]	32
KORPUSS	HULL	[hʌl]	19
KOSMOSA KUĢIS	SPACESHIP	[ˈspeisʃip]	102
KOSTĪMS	SUIT	[suːt]	29
KOVBOJS	COWBOY	[ˈkaʊˈbɔi]	33

Latviski	Angliski	Izruna	Lpp.
KRĀSAS	COLOURS	[ˈkʌləz]	31
KRĀSOTĀJS	PAINTER	[ˈpeintə]	87
KRĀT	SAVE (TO)	[seiv]	95
KREKLS	SHIRT	[ʃɜːt]	29
KRĒSLS	CHAIR	[tʃeə]	59
KRIEVIJA	RUSSIA	[ˈrʌʃə]	76
KRIKETS	CRICKET	[ˈkrikit]	104
KRIST	FALL (TO)	[fɔːl]	43
KRŪTIS	CHEST	[tʃest]	20
KSILOFONS	XYLOPHONE	[ˈzailəfəʊn]	125
KUBS	CUBE	[kjuːb]	98
KUĢIS	SHIP	[ʃip]	98
KUKURŪZA	CORN	[kɔːn]	117
KUR	WHERE	[weə]	122
KURPE	SHOE	[ʃuː]	29
KURŠ	WHICH/WHO	[witʃ]/[huː]	122, 123
KVADRĀTS	SQUARE	[skweə]	98
KVALITĀTE	QUALITY	[ˈkwɒləti]	89
KVANTITĀTE	QUANTITY	[ˈkwɒntəti]	89
KVARTĀLS	BLOCK	[blɒk]	19

Ķ

Latviski	Angliski	Izruna	Lpp.
ĶĒDE	CHAIN	[tʃein]	18
ĶEMME	COMB	[kəʊm]	31
ĶENGURS	KANGAROO	[ˌkæŋɡəˈruː]	13
ĶERMENIS	BODY	[ˈbɒdi]	20
ĶĪNA	CHINA	[ˈtʃainə]	77
ĶIPLOKS	GARLIC	[ˈɡɑːlik]	103
ĶIRBIS	PUMPKIN	[ˈpʌmpkin]	117
ĶIRŠI	CHERRY	[ˈtʃeri]	49
ĶIVERE	HELMET	[ˈhelmit]	57

L

Latviski	Angliski	Izruna	Lpp.
LABI	WELL	[wel]	122
LABOT	FIX (TO)	[fiks]	46
LABS	GOOD	[ɡʊd]	53
LĀCIS	BEAR	[beə]	12
LAIKRAKSTS	NEWSPAPER	[ˈnjuːspeipə]	78
LAIKS	TIME	[taim]	112

Latviski	Angliski	Izruna	Lpp.

Ļ

ĻOTI — VERY — ['veri] — 118

M

Latviski	Angliski	Izruna	Lpp.
MĀCĪBU STUNDA	LESSON	['lesn]	66
MĀCĪTIES	LEARN (TO)/STUDY (TO)	[lɜ:n]/['stʌdi]	66, 107
MAGONE	POPPY	['pɒpi]	47
MAIGI	GENTLY	['dʒentli]	50
MAIJS	MAY	[mei]	72
MAINĪT/MAINĪTIES	CHANGE (TO)	[tʃeindʒ]	27
MAIZE	BREAD	[bred]	37
MAIZĪTE	ROLLS	[rəʊlz]	37
MĀJA	HOUSE	[haʊs]	59
MĀJAS/DZĪVESVIETA	HOME	[həʊm]	58
MĀJPUTNI/	POULTRY	['pəʊltri]	12, 37
MĀJPUTNU GAĻA			
MAKARONI	PASTA	['pæstə]	68
MĀKONIS	CLOUD	[klaʊd]	30
MĀKSLINIEKS	ARTIST	['ɑtist]	86
MALKA	WOOD	[wʊd]	124
MARGRIETIŅA	DAISY	['deizi]	47
MĀRĪTE	LADYBIRD	['leidibɜ:d]	65
MARTS	MARCH	[mɑtʃ]	72
MĀSA	SISTER	['sistə]	44
MĀTE	MOTHER	['mʌðə]	44
MATEMĀTIKA	MATH	[mæθ]	70
MATI	HAIR	[heə]	20
MATU SPRĀDZE	BARRETTE	[bæ'ret]	29
MATU SUKA	HAIRBRUSH	['heəbrʌʃ]	55
MAZBĒRNI	GRANDCHILDREN	['græn,tʃildren]	44
MAZGĀT	WASH (TO)	[wɒʃ]	120
MAZLIET	LITTLE	['litl]	67
MAZS	SMALL	[smɔ:l]	101
MEDĪJUMA GAĻA	GAME	[geim]	37
MEDMĀSA	NURSE	[nɜ:s]	86
MEDNIEKS	HUNTER	['hʌntə]	60
MEITA	DAUGHTER	['dɔ:tə]	44
MEITENE	GIRL	[gɜ:l]	51
MEKSIKA	MEXICO	['meksikəʊ]	77

Latviski	Angliski	Izruna	Lpp.
NĀKT	COME (TO)	[kʌm]	31
NAKTS	NIGHT	[nait]	35
NARCISE	NARCISSUS	[naːˈsisəs]	47
NAUDA	MONEY	[ˈmʌni]	71
NAZIS	KNIFE	[naif]	64
NĒ	NO	[nəʊ]	78
NEDĒĻA	WEEK	[wiːk]	121
NEGADĪJUMS	ACCIDENT	[ˈæksidənt]	7
NEGLĪTS	UGLY	[ˈʌgli]	115
NEJAUŠI ATRAST	RUN ACROSS (TO)	[rʌn əˈkrɒs]	94
NEKAD	NEVER	[ˈnevə]	78
NEKĀRTĪBA	MESS	[mes]	71
NEKAS	NOTHING	[ˈnʌθiŋ]	79
NELAIMĪGS	UNHAPPY	[ʌnˈhæpi]	115
NEĻĶE	CARNATION	[kaːˈneiʃən]	47
NESĒJS	PORTER	[ˈpɔːtə]	106
NEST	CARRY (TO)	[ˈkæri]	26
NETĪRS	DIRTY	[ˈdɜːti]	38
NEVIENS	NOBODY	[ˈnəʊbədi]	78
NĪDERLANDE	NETHERLANDS	[ˈneðələndz]	77
NO	FROM/OF	[frɒm]/[ɒv]	48, 81
NOGĀDĀT	TAKE (TO)	[teik]	109
NOGURIS	TIRED	[ˈtaiəd]	112
NOKĀPT	GET DOWN (TO)/ GO DOWN (TO)	[get daʊn]/ [gəʊ daʊn]	51, 52
NOĶERT	CATCH (TO)	[kætʃ]	26
NOLEMT	DECIDE (TO)	[diˈsaid]	36
NOMODĀ	AWAKE	[əˈweik]	14
NOPELNĪT	EARN (TO)	[ɜːn]	40
NORĀDĪT	POINT TO (TO)	[pɔint]	85
NORVĒĢIJA	NORWAY	[ˈnɔːwei]	77
NOSARKT	BLUSH (TO)	[blʌʃ]	19
NOTEKCAURULES	RAIN GUTTERS	[rein ˈgʌtəz]	59
noteiktais artikuls	THE	[ðə, ði; ðiː]	111
NOVEMBRIS	NOVEMBER	[nəˈvembə]	72
NOVĒROŠANAS TORNIS	CONTROL TOWER	[kənˈtrəʊl ˈtaʊə]	10
NŪJA	STICK	[stik]	107
NULLE	ZERO	[ˈziərəʊ]	80, 126
NUMURA ZĪME	LICENSE/ NUMBER PLATE	[ˈlaisəns/ˈnʌmbə pleit]	25

Latviski	Angliski	Izruna	Lpp.

Ņ

| ŅEMT | TAKE (TO) | [teik] | 109 |

O

ODS	MOSQUITO	[məˈskiːtəʊ]	73
OKEĀNS	OCEAN	[ˈəʊʃən]	81
OKTOBRIS	OCTOBER	[ɒkˈtəʊbə]	72
OLA	EGG	[eg]	22
OLĪVAS	OLIVES	[ˈɒlivz]	37
ORANŽS	ORANGE	[ˈɒrindʒ]	31
OSTA	PORT	[pɔːt]	85
OSTĪT	SMELL (TO)	[smel]	101
OTRAIS	SECOND	[ˈsekənd]	80
OTRDIENA	TUESDAY	[ˈtjuːzdi]	121
OZOLS	OAK	[əʊk]	81

P

PA KREISI	LEFT	[left]	66
PA LABI	RIGHT	[rait]	93
PABEIGT	FINISH (TO)	[ˈfiniʃ]	46
PAGALMS	YARD	[jɑːd]	59
PAGRIEZIENA RĀDĪTĀJS	INDICATOR	[ˈindiˈkeitə]	25
PAIPALA	QUAIL	[kweil]	89
PAKAĻGALS	STERN	[stɜːn]	19
PAKARAMAIS	COAT TREE	[kəʊt triː]	59
PAKLĀJS	CARPET	[ˈkɑːpit]	59
PALDIES!	THANK YOU	[θæŋk juː]	110
PALĪGĀ!	HELP	[help]	57
PAMATI/PAGRABA STĀVS	BASEMENT	[ˈbeismənt]	59
PAMOSTIES	WAKE UP (TO)	[weik ʌp]	119
PAPAGAILIS	PARROT	[ˈpærət]	83
PAPĒDIS	HEEL	[hiːl]	20
PAPILDU	EXTRA	[ˈekstrə]	42
PAPĪRS	PAPER	[ˈpeipə]	83
PĀRDOT	SELL (TO)	[sel]	97
PĀRI	ACROSS	[əˈkrɒs]	7
PARKS	PARK	[pɑːk]	83

Latviski	Angliski	Izruna	Lpp.
PĀRSLAS	CEREAL	[ˈsiəriəl]	22
PĀRSTEIGUMS	SURPRISE	[səˈpraiz]	108
PĀRTIKA	FOOD	[fuːd]	48
PĀRTIKAS PRECES	GROCERIES	[ˈɡrəʊsəriz]	54
PĀRVIETOT	MOVE (TO)	[muːv]	73
PASAKA	FABLE	[ˈfeibl]	43
PASAULE	WORLD	[wɜːld]	124
PASAŽIERU KĀPNES	PASSENGER STAIRS	[ˈpæsindʒə steəz]	10
PASE	PASSPORT	[ˈpɑːspɔːt]	83
PASTMARKA	STAMP	[stæmp]	106
PASTNIEKS	POSTMAN	[ˈpəʊstmən]	87
PASTS	MAIL	[meil]	69
PASU KONTROLE	PASSPORT CONTROL	[ˈpɑːspɔːt kənˈtrəʊl]	9
PASŪTĪT	ORDER (TO)	[ˈɔːdə]	82
PATIKT	LIKE (TO)	[laik]	67
PAVĀRS	COOK	[kʊk]	86
PAVASARIS	SPRING	[spriŋ]	97
PĒCPUSDIENA	AFTERNOON	[ɑːftəˈnuːn]	35
PĒDA	FOOT	[fʊt]	20
PEDĀLIS	PEDAL	[ˈpedl]	18
PELDBASEINS	SWIMMING POOL	[ˈswimiŋ puːl]	108
PELDĒŠANA	SWIMMING	[ˈswimiŋ]	105
PELDĒT	SWIM (TO)	[swim]	108
PELE	MOUSE	[maʊs]	73
PERSIKS	PEACH	[piːtʃ]	49
PĒRTIĶIS	MONKEY	[ˈmʌŋki]	12
PĒTERSĪĻI	PARSLEY	[ˈpɑːsli]	103
PICA	PIZZA	[ˈpiːtsə]	68
PIEAUGUŠAIS	ADULT	[ˈædʌlt, əˈdʌlt]	8
PIECELTIES	GET UP (TO)	[get ʌp]	51
PIECI	FIVE	[faiv]	80
PIEDZĪVOJUMS	ADVENTURE	[ədˈventʃə]	8
PIEGĀDĀT	DELIVER (TO)	[diˈlivə]	36
PIEKTAIS	FIFTH	[fifθ]	80
PIEKTDIENA	FRIDAY	[ˈfraidei]	121
PIENENE	DANDELION	[ˈdændilaiən]	34
PIENS	MILK	[milk]	22
PIESĀRŅOJUMS	POLLUTION	[pəˈluːʃən]	85
PIEVIENOT	ADD (TO)	[æd]	7
PILDĪJUMS	STUFFING	[ˈstʌfiŋ]	37
PILDSPALVA	PEN	[pen]	84
PĪLE	DUCK	[dʌk]	39
PILOTS	PILOT	[ˈpailət]	10

146

Latviski	Angliski	Izruna	Lpp.
PILS	CASTLE	[ˈkɑːsl]	26
PILSĒTA	CITY/TOWN	[ˈsiti]/[taʊn]	28, 113
PINGVĪNS	PENGUIN	[ˈpeŋgwin]	84
PIPARI	PEPPER	[ˈpepə]	103
PIPARMĒTRA	MINT	[mint]	103
PIRAMĪDA	PYRAMID	[ˈpirəmid]	88, 98
PIRCĒJS	CUSTOMER	[ˈkʌstəmə]	33
PIRKSTS	FINGER	[ˈfiŋgə]	20
PIRKT	BUY (TO)	[bai]	23
PIRMAIS	FIRST	[fɜːst]	80
PIRMDIENA	MONDAY	[ˈmʌndi]	121
PLAISA	CRACK	[kræk]	33
PLATMALE	HAT	[hæt]	29
PLAUKSTA	HAND	[hænd]	20
PLAUKSTAS LOCĪTAVA	WRIST	[rist]	20
PLECS	SHOULDER	[ˈʃəʊldə]	20
PLOSTS	RAFT	[rɑːft]	91
PLUDMALE	BEACH	[biːtʃ]	16
PLŪME	PLUM	[plʌm]	49
PLŪSTOŠĀS SMILTIS	QUICKSAND	[ˈkwiksænd]	90
POGA	BUTTON	[ˈbʌtn]	23
POLICISTS	POLICEMAN	[pəˈliːsmən]	87
PORTUGĀLE	PORTUGAL	[ˈpɔːtʃəgl]	77
POTĪTE	ANKLE	[ˈæŋkl]	20
PRET	AGAINST	[əˈgenst]	8
PRETĒJS/PRETSTATS	OPPOSITE	[ˈɒpəzit]	82
PRIEKŠĀ	IN FRONT OF	[in frʌnt ɒv]	62
PRIEKŠĒJAIS LUKTURIS	HEADLIGHT	[ˈhedlait]	25
PRIEKŠĒJAIS/ AIZMUGURĒJAIS SĒDEKLIS	FRONT/BACK SEAT	[frʌnt/bæk siːt]	25
PRIEKŠGALS	BOW/NOSE	[bəʊ]/[nəʊz]	10, 19
PRIEKŠNAMS	HALL	[hɔːl]	59
PRIEKŠNIEKS	BOSS	[bɒs]	21
PRIEKŠROCĪBAS	ADVANTAGE	[ədˈvɑːntidʒ]	8
PROBLĒMA	PROBLEM	[ˈprɒbləm]	85
PROFESIJAS	PROFESSIONS	[prəˈfeʃnz]	86
PROFESORS	PROFESSOR	[prəˈfesə]	88
PROMESOŠS	ABSENT	[ˈæbsənt]	7
PŪCE	OWL	[aʊl]	12
PUDELE	BOTTLE	[ˈbɒtl]	21
PULKSTENIS	WATCH	[wɒtʃ]	120
PUPIŅAS	BEANS	[biːnz]	117
PUSDIENAS	DINNER	[ˈdinə]	37

Latviski	Angliski	Izruna	Lpp.
PUSE	HALF	[hɑːf]	55
PUSNAKTS	MIDNIGHT	['midnait]	35
PUTEKĻUSŪCĒJS	VACUUM CLEANER	['vækjʊm ˌkliːnə]	116
PUTNS	BIRD	[bɜːd]	12
PUZLIS	PUZZLE	[pʌzl]	88

R

Latviski	Angliski	Izruna	Lpp.
RADARS	RADAR	['reidɑː]	10
RADINIEKI	RELATIVES	['relətɪvs]	92
RADIO	RADIO	['reidiəʊ]	25, 91
RAGAVAS	SLEIGH	[slei]	100
RAKSTĀMGALDS	DESK	[desk]	36
RAKSTĀMMAŠĪNA	TYPEWRITER	['taipraitə]	114
RAKSTĪT	WRITE (TO)	[rait]	124
RAKSTNIEKS	WRITER	['raitə]	87
RĀMIS	FRAME	[freim]	18
RATS	WHEEL	[wiːl]	122
RAUDĀT	CRY (TO)	[krai]	33
RAUDENE	OREGANO	[ɒriˈgaːnəʊ]	103
RAUSIS	PIE	[pai]	37
RĀVĒJSLĒDZĒJS	ZIPPER	['zipə]	126
REDZĒT	SEE (TO)	[siː]	97
REGBIJS	RUGBY	['rʌgbi]	105
REĢISTRĀCIJA	CHECK-IN	['tʃek in]	9
RENTGENS	X-RAY	['eksrei]	125
RESNS	FAT	[fæt]	45
RESTORĀNS	RESTAURANT	['restrɒnt]	92
REZERVES RITENIS	SPARE TIRE	[speə taiə]	25
RIEPA	TIRE	[taiə]	18, 25
RIETUMI	WEST	[west]	79
RĪKLE	THROAT	[θrəʊt]	112
RINDA	QUEUE	[kjuː]	90
RIPOT	ROLL (TO)	[rəʊl]	93
RĪSI	RICE	[rais]	92
RĪT	TOMORROW	[təˈmɒrəʊ]	113
RITENIS	WHEEL	[wiːl]	18
RITEŅBRAUKŠANA	CYCLING	['saikliŋ]	104
RĪTS	MORNING	['mɔːniŋ]	35
ROBOTS	ROBOT	['rəʊbɒt]	93
ROKA	ARM	[ɑːm]	20
ROKA/PLAUKSTA	HAND	[hænd]	20

Latviski	Angliski	Izruna	Lpp.
ROKAS BAGĀŽA	CARRY-ON LUGGAGE	[ˈkæri, ɒn ˈlʌgidʒ]	9
ROKAS BREMZE	HAND BRAKE	[hænd breik]	25
ROKASSOMIŅA	PURSE	[pɜːs]	29
RONIS	SEAL	[siːl]	96
ROTAĻĀTIES	PLAY (TO)	[plei]	84
ROTAĻLIETA	TOY	[tɔi]	113
ROZĀ	PINK	[piŋk]	31
ROZE	ROSE	[rəʊz]	47
ROZMARĪNS	ROSEMARY	[ˈrəʊzməri]	103
RUDENS	AUTUMN	[ˈɔːtəm]	97
RUDZUPUĶE	CORNFLOWER	[ˈkɔːnfləʊə]	47
RUNĀT	SPEAK (TO)	[spiːk]	102
RŪPĒTIES	CARE (TO TAKE)	[keə]	26
RŪPNĪCA	FACTORY	[ˈfæktəri]	43

S

Latviski	Angliski	Izruna	Lpp.
SABOJĀT	DAMAGE (TO)	[ˈdæmidʒ]	34
SABRAUKT	RUN OVER (TO)	[rʌn ˈəʊvə]	94
SACENSĪBAS	COMPETITION	[ˌkɒmpiˈtiʃən]	31
SACĪKSTES	RACE	[reis]	91
SACĪT	SAY (TO)	[sei]	96
SAJŪGS	CLUTCH	[klʌtʃ]	25
SAKSOFONS	SAXOPHONE	[ˈsæksəfəʊn]	74
SALA	ISLAND	[ˈailənd]	62
SALĀTI	SALAD/ LETTUCE	[ˈsæləd]/ [ˈletis]	37, 68, 117
SALDAIS ĒDIENS	DESSERT	[diˈzɜːt]	37
SALDAIS PIPARS	BELL PEPPER	[belˈpepə]	117
SALDĒJUMS	ICE CREAM	[ais ˈkriːm]	37, 61
SĀLS	SALT	[sɔːlt]	103
SALVETE	NAPKIN	[ˈnæpkin]	75
SALVIJA	SAGE	[seidʒ]	103
SĀNSKATA SPOGULIS	SIDE MIRROR	[said ˈmirə]	25
SANTEHNIĶIS	PLUMBER	[ˈplʌmə]	87
SAŅEMT	GET (TO)	[get]	51
SAPNIS	DREAM	[driːm]	39
SAPRAST	UNDERSTAND (TO)	[ˌʌndəˈstænd]	115
SARKANS	RED	[red]	31
SARUNA	CONVERSATION	[kɒnvəˈseiʃən]	32
SASNIEGT	RUN TO (TO)	[rʌn tu]	94
SATIKT	MEET (TO)	[miːt]	71

Latviski	Angliski	Izruna	Lpp.
SAUKT	CALL (TO)	[kɔ:l]	24
SAULE	SUN	[sʌn]	108
SAULESPUĶE	SUNFLOWER	['sʌn,flaʊə]	47
SAULLĒKTS	SUNRISE	['sʌnraiz]	35, 108
SAULRIETS	SUNSET	['sʌnset]	35, 108
SAUSS	DRY	[drai]	39
SAUTĒJUMS	STEW	[stju:]	37
SĒDEKLIS	SEAT	[si:t]	18, 25
SEGA	BLANKET	['blæŋkit]	18
SEIFS	SAFE	[seif]	95
SEJA	FACE	[feis]	43
SEKOT	FOLLOW (TO)	['fɒləʊ]	47
SELERIJA	CELERY	['seləri]	117
SĒNE	MUSHROOM	['mʌʃrʊm]	117
SEPTEMBRIS	SEPTEMBER	[səp'tembə]	72
SEPTIŅI	SEVEN	['sevn]	80
SEPTĪTAIS	SEVENTH	['sevənθ]	80
SĒRFINGS	SURFING	['sɜ:fiŋ]	105
SĒRKOCIŅŠ	MATCH	[mætʃ]	70
SESTAIS	SIXTH	[siksθ]	80
SESTDIENA	SATURDAY	['sætədei]	121
SEŠI	SIX	[siks]	80
SĒŽAMVIETA	BOTTOM	['bɒtəm]	20
SIENA/MŪRIS	WALL	[wɔ:l]	59, 119
SIENĀZIS	GRASSHOPPER	['grɑːshɒpə]	53
SIERS	CHEESE	[tʃi:z]	37
SIEVA	WIFE	[waif]	44
SIEVIEŠU DZIMTE	FEMALE	['fi:meil]	46
SIEVIETE	WOMAN	['wʊmən]	124
SIGNĀLSLĒDZIS	INDICATOR SWITCH	['indi'keitə switʃ]	25
SIGNĀLTAURE	HORN	[hɔ:n]	25
SIKSNA/JOSTA	BELT	[belt]	29
SILDĪT	WARM (TO)	[wɔ:m]	119
SIMTS	ONE HUNDRED	[wʌn 'hʌndrəd]	80
SĪPOLS	ONION	['ʌnjən]	117
SIRDS	HEART	[hɑːt]	56
SKAIDRA NAUDA	CASH	[kæʃ]	26
SKAIDROT	EXPLAIN (TO)	[ik'splein]	42
SKAISTS	BEAUTIFUL	['bju:tifəl]	16
SKAITĪT	COUNT (TO)	[kaʊnt]	32
SKAITĻI	NUMBERS	['nʌmbəz]	80
SKAŅUPLATE	RECORD	['rekɔ:d]	91
SKAPIS	CLOSET/CUPBOARD	['klɒzit/'kʌbəd]	59

Latviski	Angliski	Izruna	Lpp.
SKATĪTIES	LOOK (TO)	[lʊk]	68
SKATS	VIEW	[vjuː]	118
SKOLA	SCHOOL	[skuːl]	96
SKOLĒNS	PUPIL	[ˈpjuːpəl]	88
SKOLOTĀJA	TEACHER	[ˈtiːtʃə]	87
SKRAIDĪT ŠURPU TURPU	RUN AROUND (TO)	[rʌn əˈraʊnd]	94
SKRIEŠANA	RUNNING	[ˈrʌnɪŋ]	105
SKRIET	RUN (TO)	[rʌn]	94
SKŪPSTS	KISS	[kis]	64
SKURSTENIS	CHIMNEY	[ˈtʃimni]	59
SKŪTIES	SHAVE (TO)	[ʃeiv]	98
SLAPJŠ	WET	[wet]	122
SLAVENS	FAMOUS	[ˈfeiməs]	45
SLĒDZENE	LOCK/DOOR LOCK	[lɒk]/[dɔː lɒk]	18, 25
SLĒPOŠANA	SKIING	[ˈskiːɪŋ]	105
SLĒPTIES	HIDE (TO)	[haid]	57
SLIDOŠANA	ICE SKATING	[aisˈskeitɪŋ]	104
SLIDOT	SKATE (TO)	[skeit]	100
SLIEŽU CEĻŠ	TRACK	[træk]	106
SLIKTS/ĻAUNS	BAD	[bæd]	15
SLIMNĪCA	HOSPITAL	[ˈhɒspitl]	58
SLIMS	ILL/SICK	[il]/[sik]	61, 99
SLINKS	LAZY	[ˈleizi]	66
SLOTA	BROOM	[bruːm]	22
SMADZENES	BRAIN	[brein]	21
SMAGS	HEAVY	[ˈhevi]	56
SMALKMAIZĪTE	CROISSANT	[krɒˈsaːnt]	22
SMIETIES	LAUGH (TO)	[lɑːf]	65
SMILTIS	SAND	[sænd]	95
SNAUDIENS	NAP	[næp]	75
SNIEGS	SNOW	[snəʊ]	101
SOMA	BAG	[bæg]	15
SOMIJA	FINLAND	[ˈfinlənd]	76
SPALVA	FEATHER	[ˈfeðə]	45
SPĀNIJA	SPAIN	[spein]	76
SPĀRNS	WING	[wiŋ]	10
SPĒCĪGS	STRONG	[strɒŋ]	107
SPĒLE	GAME	[geim]	50
SPĒLĒT	PLAY (TO)	[plei]	85
SPIDOMETRS	SPEEDOMETER	[spiˈdɒmitə]	25
SPIEĶI	SPOKES	[spəʊks]	18
SPILVENS	PILLOW	[ˈpiləʊ]	59
SPOGULIS	MIRROR	[ˈmirə]	71

Š

Latviski	Angliski	Izruna	Lpp.
ŠAURS	NARROW	['nærəʊ]	75
ŠEIT	HERE	[hiə]	57
ŠIE/ŠĪS	THESE	[ði:z]	111
ŠIS	THIS	[ðis]	112
ŠĶAUDĪT	SNEEZE (TO)	[sni:z]	101
ŠĶĒRES	SCISSORS	['sizəz]	96
ŠĶĒRSOT	CROSS (TO)	[krɒs]	33
ŠĶIŅĶIS	HAM	[hæm]	37
ŠĶĪVIS	PLATE	[pleit]	84
ŠĶŪNIS/KŪTS	BARN	[bɑːn]	16
ŠODIEN	TODAY	[tə'dei]	112
ŠOKOLĀDE	CHOCOLATE	['tʃɒkələt]	28
ŠUVĒJS	TAILOR	['teilə]	87
ŠVEICE	SWITZERLAND	['switsələnd]	77

T

TĀ	SO	[səʊ]	102
TAD	THEN	[ðen]	111
TĀFELE	BLACKBOARD	['blækbɔːd]	18
TAGAD	NOW	[naʊ]	79
TAISNSTŪRIS	RECTANGLE	['rektæŋgl]	98
TAKA	TRAIL	[treil]	114
TAKSOMETRS	TAXI	['tæksi]	110
TĀLU	FAR	[fɑː]	45
TANTE	AUNT	[ɑːnt]	44
TAS	THAT	[ðæt]	111
TAS PATS/TĀDS PATS	SAME	[seim]	95
TASE	CUP	[kʌp]	33
TAURIŅŠ	BUTTERFLY	['bʌtəflai]	23
TEĀTRIS	THEATRE	['θiətə]	111
TĒJA	TEA	[tiː]	22
TELEFONS	TELEPHONE	['telifəʊn]	110
TELEKSS	TELEX	['teleks]	110
TELEVIZORS	TELEVISION SET	['televiʒən set]	110
TEĻA GAĻAS CEPETIS	VEAL ROAST	[viːl rəʊst]	37
TEMPERATŪRA	TEMPERATURE	['temprətʃə]	110
TENISA KORTS	TENNIS COURT	['tenis kɔːt]	110
TENISKURPES	TENNIS SHOES	['tenis ʃuːz]	29
TENISS	TENNIS	['tenis]	105
TĒRPS	COSTUME	['kɒstjuːm]	32
TĒVOCIS	UNCLE	['ʌŋkl]	44

Latviski	Angliski	Izruna	Lpp.
TĒVS	FATHER	[ˈfɑːðə]	44
TIE/TĀS	THOSE	[ðəʊz]	112
TIESNESIS	JUDGE	[dʒʌdʒ]	63
TIEVS	THIN	[θin]	111
TĪĢERIS	TIGER	[ˈtaigə]	13
TIKAI	ONLY	[ˈəʊnli]	82
TILTS	BRIDGE	[bridʒ]	22
TIMIĀNS	THYME	[təim]	103
TINTE	INK	[iŋk]	62
TIRGUS	MARKET	[ˈmɑːkit]	70
TĪRS	CLEAN	[kliːn]	28
TĪTARS	TURKEY	[ˈtɜːki]	37, 114
T-KREKLS	T-SHIRT	[ˈtiːʃɜːt]	29, 109
TOMĀTS	TOMATO	[təˈmɑːtəʊ]	117
TOMĒR	HOWEVER	[haʊˈəvə]	60
TORTE	CAKE	[keik]	37
TREŠAIS	THIRD	[θɜːd]	80
TREŠDIENA	WEDNESDAY	[ˈwenzdi]	121
TRIJSTŪRIS	TRIANGLE	[ˈtraiæŋgl]	98
TRĪS	THREE	[θriː]	80
TROKSNIS	NOISE	[nɔiz]	78
TROMBONS	TROMBONE	[trɒmˈbəʊn]	74
TROMPETE	TRUMPET	[ˈtrʌmpit]	74
TRUSIS	RABBIT	[ˈræbit]	13
TŪBA	TUBA	[ˈtjuːbə]	74
TUKSNESIS	DESERT	[ˈdezət]	36
TŪKSTOTIS	ONE THOUSAND	[wʌnˈθaʊzənd]	80
TUKŠS	EMPTY	[ˈempti]	41
TULPE	TULIP	[ˈtjuːlip]	47
TUMŠS	DARK	[dɑːk]	34
TUR	THERE	[ðeə, ðə]	111
TURĒT	HOLD (TO)	[həʊld]	58
TUVU	NEAR	[niə]	78

U

UGUNS	FIRE	[ˈfaiə]	46
UGUNSDZĒSĒJS	FIREMAN	[ˈfaiəmən]	87
UGUNSGRĒKS	FIRE	[ˈfaiə]	46
UN	AND	[ənd, ænd]	11
UNIVERSITĀTE	UNIVERSITY	[ˌjuːniˈvɜːsəti]	115
UPE	RIVER	[ˈrivə]	93

Latviski	Angliski	Izruna	Lpp.
UZGAIDĀMĀ ZĀLE	WAITING ROOM	['weitiŋrʊm]	106
UZKĀPT	GO UP (TO)	[gəʊ ʌp]	52
UZKĀRT	HANG (TO)	[hæŋ]	55
UZKODAS	APPETIZER	['æpitəizə]	37
UZMINĒT	GUESS (TO)	[ges]	54
UZVARA	VICTORY	['viktəri]	118
UZVĀRDS	SURNAME	['sɜːneim]	108
UZVARĒT	WIN (TO)	[win]	123

Ū

ŪDENS	WATER	['wɔːtə]	37, 120

V

VĀCIJA	GERMANY	['dʒɜːməni]	77
VADĪBAS PANELIS	DASHBOARD	['dæʃbɔːd]	25
VAI	OR	[ɔː]	82
VAJĀT	RUN AFTER (TO)	[rʌn 'ɑːftə]	94
VAKAR	YESTERDAY	['jestədi]	125
VAKARS	EVENING	['iːvniŋ]	35
VALENTĪNA DIENA	VALENTINE'S DAY	['væləntains dei]	116
VALIS	WHALE	[weil]	13
VALKĀT	WEAR (TO)	[weə]	120
VALSTIS UN KAROGI	NATIONS & FLAGS	['neiʃənz ənd flægs]	76
VALSTS/TAUTA	NATION	['neiʃən]	75
VAMPĪRS	VAMPIRE	['væmpaiə]	116
VANNA	BATH	[bɑːθ]	16
VANNASISTABA	BATHROOM	['bɑːθrʊm]	59
VARAVĪKSNE	RAINBOW	['reinbeʊ]	91
VARDE	FROG	[frɒg]	13
VĀRDS	NAME/WORD	[neim]/[wɜːd]	75, 124
VARĒT	CAN	['kæn]	24
VĀRTI	GATE	[geit]	50
VASARA	SUMMER	['sʌmə]	97
VATĒTA SEGA	QUILT	[kwilt]	90
VĀVERE	SQUIRREL	['skwirəl]	106
VĀZE	VASE	[vɑːz]	116
VECAISTĒVS	GRANDFATHER	['græn,fɑːðə]	44
VECĀKI	PARENTS	[peərənts]	44
VECĀMĀTE	GRANDMOTHER	['græn,mʌðə]	44

Latviski	Angliski	Izruna	Lpp.
VECS	OLD	[əʊld]	81
VECUMS	AGE	[eidʒ]	8
VECVECĀKI	GRANDPARENTS	['græn,peərənts]	44
VĒDERS	STOMACH	['stʌmək]	20
VEIDOT	MAKE (TO)	[meik]	69
VEIKALS	SHOP	[ʃɒp]	99
VEIKSMĪGS	LUCKY	[lʌki]	68
VĒJJAKA	WINDBREAKER	['wind,breikə]	29
VĒJKONUSS	WIND SOCK	[wind sɒk]	10
VĒJŠ	WIND	[wind]	123
VĒLĀK	AFTER	['ɑːftə]	8
VELOSIPĒDS	BICYCLE	['baisikl]	18
VĒLU	LATE	[leit]	65
VEĻAS MAZGĀJAMĀ MAŠĪNA	WASHING MACHINE	['wɒʃiŋ mə'ʃiːn]	120
VERANDA	PORCH	[pɔːtʃ]	59
VESELS	HEALTHY	['helθi]	56
VESTE	VEST	[vest]	29
VĒSTULE	LETTER	['letə]	66
VIDUKLIS	WAIST	[weist]	20, 119
VIEGLI	EASY	['iːzi]	40
VIEGLS	LIGHT	[lait]	67
VIENĀDS	EQUAL	['iːkwəl]	42
VIENMĒR	ALWAYS	['ɔːlweiz]	11
VIENS	ONE	[wʌn]	80
VIENS PATS	ALONE	[ə'ləʊn]	11
VIENS/KĀDS *(nenoteiktais artikuls)*	A / AN	[ə]/[ən]	7
VIESĪBAS	PARTY	['pɑːti]	83
VIESIS	GUEST	[gest]	54
VIESNĪCA	HOTEL	[həʊ'tel]	58
VIESU ISTABA	GUEST ROOM	[gest rʊm]	59
VIESUĻVĒTRA	HURRICANE	['hʌrikən]	60
VIJOLE	VIOLIN	[vaiə'lin]	74
VIJOLĪTE	VIOLET	['vaiəlit]	47
VILCIENS	TRAIN	[trein]	106
VILCIENU SARAKSTS	TIMETABLE	['taim,teibl]	106
VILKS	WOLF	[wʊlf]	123
VILKT	PULL (TO)	[pʊl]	88
VILNA	WOOL	[wʊl]	124
VILNIS	WAVE	[weiv]	120
VILTOTS	FALSE	[fɔːls]	43
VINGRINĀJUMS	EXERCISE	['eksəsaiz]	42

Latviski	Angliski	Izruna	Lpp.
VINGROŠANA	GYMNASTICS	[dʒim'næstiks]	54, 104
VĪNOGAS	GRAPES	[greips]	49
VĪNS	WINE	[wain]	37
VIOLETS	PURPLE	['pɜːpl]	31
VĪRIEŠU DZIMTE	MALE	[meil]	69
VĪRIETIS	MAN	[mæn]	69
VIRS	ABOVE	[ə'bʌv]	7
VĪRS	HUSBAND	['hʌzbənd]	44
VIRTUVE	KITCHEN	['kitʃin]	59
VIRVE	ROPE	[rəʊp]	94
VIRZIENS	DIRECTION	[di'rekʃən]	38
VISS	ALL	[ɔːl]	11
VISTA	HEN/CHICKEN	[hen]/['tʃikin]	12, 37
VĪZA	VISA	['viːzə]	118
VOLEJBOLS	VOLLEYBALL	['vɒlibɔːl]	105
VULKĀNS	VOLCANO	[vɒl'keinəʊ]	118

Z

ZĀBAKS	BOOT	[buːt]	29
ZĀLE	GRASS	[grɑːs]	53
ZĀLES	MEDICINE	['medsin]	70
ZĀLIENS	LAWN	[lɔːn]	65
ZAĻŠ	GREEN	[griːn]	31
ZAUDĒT	LOSE (TO)	[luːz]	123
ZEBRA	ZEBRA	['ziːbrə]	13
ZEĶE	SOCK	[sɒk]	29
ZEĶUBIKSES	STOCKINGS	['stɒkiŋz]	29
ZELTS	GOLD	[gəʊld]	53
ZEM	BELOW/UNDER	[bə'ləʊ]/['ʌndə]	17, 115
ZEME	EARTH/GROUND	[ɜːθ]/[graʊnd]	40, 54
ZEMENE	STRAWBERRY	['strɔːbəri]	49
ZEMNIEKS	FARMER	['fɑːmə]	86
ZEMŪDENE	SUBMARINE	[ˌsʌbmə'riːn]	107
ZĒNS	BOY	[bɔi]	21
ZIEDI	FLOWERS	['flaʊəz]	47
ZIEMA	WINTER	['wintə]	97
ZIEMASSVĒTKU VECĪTIS	FATHER CHRISTMAS	['fɑːðə 'krisməs]	45
ZIEMEĻAUSTRUMI	NORTH-EAST	[ˌnɔːθ'iːst]	79
ZIEMEĻI	NORTH	[nɔːθ]	79
ZIEMEĻRIETUMI	NORTH-WEST	[ˌnɔːθ'west]	79
ZIEPES	SOAP	[səʊp]	102

Latviski	Angliski	Izruna	Lpp.
ZIGZAGLĪNIJA	ZIGZAG	['zigzæg]	126
ZILONIS	ELEPHANT	['elifənt]	13
ZILS	BLUE	[bluː]	31
ZĪME	SIGN	[sain]	99
ZĪMĒJUMS	DRAWING	['drɔːiŋ]	39
ZĪMULIS	PENCIL	['pensl]	84
ZINĀT	KNOW (TO)	[nəʊ]	64
ZIŅA	MESSAGE	['mesidʒ]	71
ZIRGS	HORSE	[hɔːs]	13
ZIRNEKLIS	SPIDER	['spaidə]	103
ZIRŅI	PEAS	[piːz]	117
ZIVS	FISH	[fiʃ]	37, 46
ZOBĀRSTS	DENTIST	['dentist]	86
ZOBS (ZOBU PASTA/SUKA)	TOOTH (-PASTE/-BRUSH)	[tuːθ peist/brʌʃ]	113
ZODIAKS	ZODIAC	['zəʊdiæk]	126
ZODS	CHIN	[tʃin]	20
ZOODĀRZS	ZOO	[zuː]	126
ZOSS SPALVA	QUILL	[kwil]	90
ZUPA	SOUP	[suːp]	37
ZVAIGZNE	STAR	[stɑː]	106
ZVANS	BELL	[bel]	17, 18
ZVEJNIEKS	FISHERMAN	['fiʃəmən]	87
ZVIEDRIJA	SWEDEN	['swɪːdən]	76

Ž

ŽAKETE	JACKET	['dʒækit]	29
ŽOGS	FENCE	[fens]	59
ŽOKLIS	JAW	[dʒɔː]	63
ŽURNĀLS	MAGAZINE	[mægə'ziːn]	69

Angļu valodā pirms darbības vārda nenoteiksmē lieto vārdu **TO** [tu].